스마트한 인공지능 챗봇 개발

HTML5 웹 채팅에서 AI 챗봇 서비스까지 한 번에 개발하기

스마트한 인공지능 챗봇 개발

HTML5 웹 채팅에서 AI 챗봇 서비스까지 한 번에 개발하기

초판 1쇄 발행 ｜ 2018년 7월 31일

지은이 ｜ 강창훈
펴낸이 ｜ 김범준
기획/책임편집 ｜ 서현
편집디자인 ｜ 한지혜
표지디자인 ｜ 김민정

발행처 ｜ 비제이퍼블릭
출판신고 ｜ 2009년 05월 01일 제300-2009-38호
주소 ｜ 서울시 종로구 중학동 19 더케이트윈타워 B동 2층 WeWork 광화문점
주문/문의 ｜ 02-739-0739   **팩스** ｜ 02-6442-0739
홈페이지 ｜ http://bjpublic.co.kr   **이메일** ｜ bjpublic@bjpublic.co.kr

가격 ｜ 25,000원
ISBN ｜ 979-11-86697-67-2
한국어판 © 2018 비제이퍼블릭

HTML5 웹 채팅에서 AI 챗봇 서비스까지 한 번에 개발하기

스마트한 인공지능 챗봇 개발

강창훈 지음

저자소개

10년간의 정규직 개발자와 8년간의 SI, .NET 프리랜서 개발을 끝으로 불나방처럼 2018년 02월 스타트업에 뛰어든 시니어 개발자입니다.

현재는 스타트업 팀빌딩을 도와주는 플랫폼인 <비긴메이트>의 CTO로 재직중이며 시간 날 때마다 융합기술정보제공 플랫폼 <믹스드코드닷컴>을 통해 다양한 신기술과 비즈니스를 접목하여 새로운 서비스를 만들고 그 과정에서 쌓인 기술과 경험치를 온/오프라인 기반에서 공유하고 있으며 매년 1~2권의 서비스 개발 실무서를 집필하고 있습니다.

저자주요경력

- 현재 <비긴메이트> CTO
- 현재 <믹스드코드닷컴> 개발 운영
- 현재 책쓰는 프로그래머 협회 정회원
- 저서 [ASP.NET MVC5 반응형 웹 개발 및 서비스]
- Microsoft MVP 2017~2018 – Visual Studio & Development
- 삼성전자 반도체사업부 SAVE 프로젝트 Application Architect
- 삼성전자 반도체사업부 PCS 프로젝트 Application Architect
- 분당 서울대병원 차세대 시스템 Technical Architect
- Microsoft Gold Partner Feelanet(필라넷) 선임 컨설턴트

감사의 글

최근 8년간의 SI 프리랜서 개발자로서의 삶을 정리하고 초기 스타트업의 CTO로 제 2의 개발자로서의 삶을 시작하였습니다. SI를 접고 스타트업을 시작하면서 제가 잘 하고 좋아하는 일로 평생의 업을 가져보겠다는 꿈을 이룬 듯 보였지만 막상 스타트 업에 발을 담그고 대한민국 스타트업의 현실을 몸으로 느껴가는 요즘 많은 생각이 머리를 복잡하게 만듭니다.

기존의 삶이 새장의 앵무새 같은 삶이었다면 지금은 야생에 던져진 병아리 같은 느 낌이 들곤합니다. 한정된 자원내에서 기술적 문제뿐만 아니라 성공적인 비즈니스를 위해 현실에 닥쳐오는 수많은 문제를 하나씩 해결해 가는 과정이 사실 그리 녹록지 만은 않습니다.

하지만 가정에서는 저를 믿고 기다려주는 사랑하는 집사람과 아이들이 회사에서는 서로 호흡을 맞춰가며 의기투합 할 수 있는 젊은 동료들이 개발자 생태계에서는 다 양한 커뮤니티 리더들과 소셜 활동가들이 있어 이들의 위로를 받아가며 때론 적극적 으로 소통하면서 많은 힘을 얻고 서로 도움을 주고 받아가면서 한 걸음 한 걸음 가보 지 않은 길을 걸어가고 있습니다.

스타트업이란 새로운 세상에서 함께 하는 모든 이들에게 감사드리며 출산의 고통으 로 비유되는 탈고의 고통을 늘 함께하는 [책쓰는 프로그래머 협회] 회원분들 및 원고 초벌 이후 6개월이 지난 시점까지 믿고 기다려준 비제이퍼블릭 서현팀장님께 진심 으로 감사드립니다.

도서개요

1장.

실시간 웹의 개념 및 실시간 웹을 구현해주는 전통적인 기술들과 웹 표준기술인 HTML5 WebSocket 기술을 소개하고 실시간 웹 기술을 이용해 어떤 서비스를 개발 제공할 수 있는지 알아봅니다. HTML5 WebSocket 기반의 간단한 웹 채팅 기능을 구현합니다.

2장.

대표적인 웹 브라우저 기반 실시간 웹 통신기술인 HTML5 WebSocket을 지원하는 서버 측 기술로 ASP.NET SignalR 기술에 대해 알아보고 해당 기술을 이용한 채팅, 실시간 사용자 액션 동기화 처리 샘플을 개발합니다.

3장.

본격적인 웹 채팅 서비스 개발을 위해 현재 상용 서비스 중인 웹 채팅 서비스의 HTML템플릿을 기반으로 3단계 과정을 걸쳐 채팅방 입장, 사용자 채팅메시지 구현, 그룹채팅, 강퇴처리, 채팅 Data처리등 HTML5 기반 순수 웹 채팅 개발 및 서비스를 완성합니다.

4장.

Visual C#과 Visual Studio 2017 기반에서 Bot Framework를 활용한 챗봇 개발환경 구축부터 Bot의 핵심 개념과 간단한 챗봇을 개발 후 Microsoft Azure 클라우드의 Azure WebApp Bot 서비스를 통해 서비스하는 모든 과정을 자세히 안내합니다.

미용실 예약 자동화 챗봇 서비스에 대한 시나리오를 수립하고 시나리오 단계별로 챗봇 기능을 구현하면서 실질적인 챗봇 코딩방법을 안내하며 개발된 챗봇 서비스와 연동할 수 있는 채널로서 웹 채팅 컨트롤 사용법과 카카오 플러스 채널 연동하는 방법을 소개해 드립니다.

Microsoft Azure 클라우드 기반의 다양한 인공지능 서비스를 쉽게 애플리케이션에서 활용할 수 있게 제공되는 Azure Cognitive Service를 소개합니다. 사용자 메시지의 의도를 정확히 파악할 수 있는 보다 똑똑한 챗봇 개발을 위한 인공지능 자연어 처리(LUIS) 기능을 챗봇과 연계하는 방법을 알아봅니다.

5장.

개발된 웹 채팅 및 챗봇 애플리케이션을 서비스하는 환경인 클라우드 환경을 소개하고 각종 클라우드 서비스 유형에 대해 안내합니다.

PaaS 방식과 IaaS 방식으로의 웹 채팅과 챗봇을 배포하고 서비스하는 방법에 대해 자세히 안내합니다.

IaaS 환경에서 Microsoft SQL Server를 설치하고 환경 설정하는 방법을 안내합니다. 아마존 AWS 클라우드 기반 IaaS 환경을 구축하는 방법 및 절차를 소개합니다.

목차

실시간 웹과
HTML5 WebSocket

1.1 실시간 웹(RealTime Web)

실시간 웹(Real-time web)의 위키(wiki)의 사전적 의미는 [인터넷에서 사용자들로 하여금 창작자 정보를 만들어내는 즉시 소비자가 수신할 수 있도록하는 기술 혹은 서비스]를 말합니다.

이는 구독하여 정기적 혹은 부정기적으로 업데이트를 받는 것과 차별화되는 서비스 형태이며 실시간 웹에서 전달되는 정보의 형식은 단문 메시지, 상태 업데이트, 새로운 뉴스 속보나 긴 문서로의 하이퍼링크 연결등입니다.

성공적인 실시간 웹 서비스의 예로는 페이스북의 뉴스피드나 트위터등 SNS 서비스가 있으며 실시간 웹 서비스를 지원하기 위한 다양한 기술들이 존재합니다.

1.1.1 실시간 웹 서비스

상기 사전적 의미의 실시간 웹의 내용 중 주요한 부분은 인터넷, 즉 웹상에서 이루어지는 서비스이며 정보의 제공과 소비가 실시간으로 이루어진다는 것입니다.

전통적인 웹상에서의 콘텐츠 공급과 소비 형태를 홈페이지로 예를 들어보면 관리자나 사용자가 콘텐츠를 등록하면 일반적으로 소비자는 콘텐츠 등록사실을 알아차리지 못하며 이를 돕기 위한 보조수단으로 메신저/RSS/메일이나/SMS 등으로 관련 소비자 등에게 노티를 주고 소비자들은 별도의 수단(이종시스템, ActiveX 플러그인)의 도움을 받아 콘텐츠의 갱신정보를 알아차리고 해당 콘텐츠에 접근하게 됩니다.

콘텐츠 소비 방식 또한 사용자의 요청(Request)이 있어야만 요청 시점의 최신정보 구독이 가능하며 요청 이후 변경된 사실에 대해서는 사용자가 재요청을 하거나 별도 노티가 없다면 콘텐츠의 실시간 소비가 불가능한 구조입니다.

전통적인 인터넷상에서의 실시간 메시징(채팅) 또한 사용자 디바이스(PC, 태블릿, 스마트폰)에 별도의 프로그램(네이트온, 카카오톡, 페이스북, ActiveX)을 설치하고 서버에도 실시간 메시징 서버 프로그램(채팅서버)을 설치해야만 상호 메시징이 이루어지며 이 또한 PC/태블릿/스마트폰 등의 환경을 통합해서 단일방식의 메시징을 하기에는 많은 노력과 비용이 발생합니다.

실시간 웹 서비스를 구현하기 위해 선행되어야 할 항목을 나열해 보겠습니다.

- 모든 디바이스(PC, 노트북, 태블릿, 스마트폰, 스마트TV, 각종 스마트 디바이스)를 통합할 수 있어야 합니다.
- 모든 디바이스 간에 동일한 방식(기술)으로 통신할 수 있어야 합니다.
- 특정 디바이스별로 별도의 프로그램 설치없이 인터넷 표준기술을 사용할 수 있어야 합니다.

1.1.2 실시간 웹 통신 및 기술

기존 웹은 사용자의 요청에 의해서 웹 서버를 통한 응답을 받을 수 있었던 구조였습니다. 반면에 실시간 웹은 사용자의 요청이 없어도 서버상에서 데이터의 상태가 변경(등록, 수정, 삭제)되고 이벤트가 발생하면 브라우저를 통해 서버와 현재 연결된 모든 사용자에게 메시지 데이터(string, json)를 전송(Push)할 수 있는 환경을 제공합니다.

실시간 웹 서비스 구현을 위해서는 실시간 웹 통신환경이 필요합니다. 실시간 웹(이하 RealTime Web) 통신이란 웹 환경에서의 클라이언트인 웹 브라우저와 서버인 웹 서버 간에 연결기반의 메시지 통신을 말하며 브라우저에서 서버로의 메시지 전송뿐만아니라 서버에서 브라우저로의 메시지 전송(Push or Polling)을 의미합니다.

실시간 웹(RealTime Web) 통신은 웹 서버에서 클라이언트인 사용자 웹 브라우저로 필요시마다 바로 응답(메시징)을 할 수 있다는 것을 의미합니다. 이는 전통적인 웹의 서비스방식인 비연결 기반에서의 사용자 요청에 의해서 발생하는 Pulling 방식이 아닌 연결기반에서의 서버 Push 방식을 의미합니다.

Push 기반 전송기술

- HTML5 WebSocket: HTML5에서 지원하는 전송기술이며 HTML5를 지원하는 대부분 클라이언트의 최신버전 브라우저(Internet Explorer 10(이하 IE), Chrome, Firefox 최신버전은 완벽히 지원되며 Opera, Safari등은 선택적으로 지원됨)를 지원하며 장점으로는 클라이언트에서 서버로 또는 서버에서 클라이언트로 양방향 전송(Two-way)이 가능하며 전송속도 또한 다른 전송기술보다 가장 빠릅니다.
- ServerSentEvents: 클라이언트와 서버 간 1회선으로 연결되며 재연결의 필요성이 없지만, 서버에서 클라이언트로의 단방향 전송만 지원하며 IE는 지

원하지 않습니다. (다른 브라우저는 대부분 지원)

Comet 기반 전송기술

- Forever Frame : IE에서만 지원하며 iframe이 반복적으로 불필요한 데이 터와 함께 로드되는 방식으로 서버에서 클라이언트 메시지를 전송합니다.
- Ajax long Polling : Long Polling 방식은 연결이 지속되지 않으며 지속적 으로 클라이언트의 연결 가능 상태를 확인하여(Polling) 단일 연결 작업 처 리후 연결이 끊기고 다시 폴링을 통해 클라이언트에 연결하는 기술입니다.
- Ajax를 지원하는 모든 브라우저에서 지원합니다.

1.1.3 실시간 웹 서비스 유형

실시간 웹 기술 응용 분야로는 채팅 서비스, 알림서비스, 실시간 대시보드, 웹게임, 시뮬레이션, 협업툴, 모니터링툴, 프로그레스바 등 실시간으로 브라우저와 웹 서버 간 데이터를 주고받을 수 있는 다양한 분야에 사용될 수 있습니다.

상기 응용분야별로 구현가능한 예를 좀더 자세히 제시해 보겠습니다.

웹 채팅

- ActiveX나 사용자 컴퓨터에 채팅 클라이언트 프로그램 설치 없이도 웹 브 라우저 만으로 웹 서버와의 RealTime통신을 통해 채팅구현이 가능합니다.
- 유무선통합 웹 채팅, 그룹 채팅, 화상회의시스템, 화이트보드

알림서비스

- DB에 데이터가 변경되었거나 웹 서버에서 특정 이벤트가 발생하면 실시간

으로 웹 사이트 접속 사용자들에게 알림 메시지를 발생시킬 수 있습니다.

- 쪽지서비스, 스마트폰 SNS, 실시간 공지 알림(학원..),대시 보드,증권정보, 공시정보, 경매정보, 물가정보, 날씨정보...

게임

- HTML5 기술을 이용 웹 게임 구현 시 서버와의 실시간 통신에 적용
- 웹게임, 캐주얼게임(https://shootr.azurewebsites.net/)

모니터링툴

- 빌딩관리, 시설물 관리, 공장자동화, 서버 관리 등 각종 자원의 실시간 모니터링 데이터의 웹 기반
- 모니터링툴 제작에 활용
- BMS(빌딩 관리시스템), BEMS(빌딩 에너지 관리시스템), FMS(시설물 관리시스템), 실시간 데이터 변경 모니터링시스템

프로그레스바, 차트

- 대용량 멀티 파일 업로드, 대용량 데이터 전송 시 진행율 정보를 실시간으로 프로그레스바로 표현합니다.
- 대용량 파일 업로드 컴포넌트 대체, 데이터전송 모니터링, 실시간 차트 프로그램

1.2 HTML5와 WebSocket API

1.2.1 HTML5

- Global 5대 표준 웹 브라우저(IE, Chrome, Safari, Opera, Firfox)에서 공통 표준기술로 채택한 HTML 버전으로 역사상 최초 브라우저 간 표준화가 이루어진 HTML 버전입니다.

- PC O/S, 모바일 O/S의 각종 브라우저에서 모두 지원하는 HTML 표준 스펙입니다.

- W3C 차세대 웹 표준기술로 확정(2014년 10월 28일)

- HTML(Hyper Text Markup Language)을 표기하기 위한 마크업 언어의 최신버전명으로 이전버전의 표기법에 비해 많이 간결하고 명확하며 다양한 확장 API제공을 통해 단순 HTML 문서구조 표현 언어가 아닌 새로운 차원의 WEB FrontEnd 개발기술로 평가됩니다.

- HTML5의 주요 기능은 각종 HTML 태그를 이용해 HTML 문서(Document)의 문서구조를 표현하는 전통적인 HTML 기능과 각종 새로운 HTML5 API 제공을 통한 기존 웹 기술로는 불가능했던 다양한 확장기능을 제공합니다.

- HTML5 API는 Programming Interface만 제공하며 구현은 Javascript 언어를 통해 HTML5 API 제공 기능을 구체적으로 구현합니다.

- Flash, Silverlight으로 대표되는 각종 웹 브라우저 Plugin(ActiveX 포함)을 대체하는 HTML5 Tag & API 들의 집합체입니다.

HTML5 주요 핵심 기능소개

Technology	설명	주요 element
Device Access	사용자 디바이스 H/W(카메라, 동작 센서) 직접 제어 환경제공	Device Access api 제공

6

Technology	설명	주요 element
Connectivity	웹 브라우저와 웹 서버간 실시간 양방향 통신환경 제공	WebSocket API 제공
2D, 3D, Graphice Effects	2, 3차원 그래픽 기능지원	Canvas(bitmap), SVG(Vector), WebGL(3D)
Styling Effects	각종 스타일 및 효과 기능제공	Css3.0 지원
Multi Media	비디오, 오디오 기능 자체 제공	Video, Audio element & API 제공
Offline & Storage	캐쉬기능 제공으로 Offline에서도 애플리케이션 작동이 가능하며 웹스토리지를 통해 로컬 데이터 저장 기능	ApplicationCache, Local, SessionStorage API 제공
Geo-Location	사용자 디바이스의 지리적 위치정보 제공	Geo-Location API 제공
Drag&Drop UX	HTML 요소의 상호 드래그엔드롭 기능제공	Drag&Drop API 제공
Async, MutiThreading Env	클라이언트 백그라운드 서비스 제공으로 클라이언트 측 비동기, 멀티 쓰레딩 환경 제공	Web Workers API 제공
Symantics Web	보다 구조화되고 다양한 기능의 태그제공으로 지능화되고 풍부한 웹 문서 표현	시맨틱 태그들

〈참고사이트〉

http://mixedcode.com/Article/Index?aidx=1054

1.2.2 HTML5 WebSocket

모든 최신 웹 브라우저에서 지원하는 HTML5 API(Application Programming Interface) 기술 중 하나로 웹 브라우저와 웹 서버 간 연결기반 실시간 양방향 통신환경을 제공해주는 웹 브라우저 기반 실시간 통신(Real Time Messaging) Web Client Side 기술을 말합니다.

HTTP Request(요청)

URI 이용

HTML 결과물

HTTP Response(응답)

Web Browser

요청이후 응답전까지 통신 끊김

URI 이용

HTTP Request(요청)

HTML 결과물

HTTP Response(응답)

응답이후 통신 끊김

Web Server

[그림 1-1] HTTP 기반 웹 사이트 서비스 통신 방식

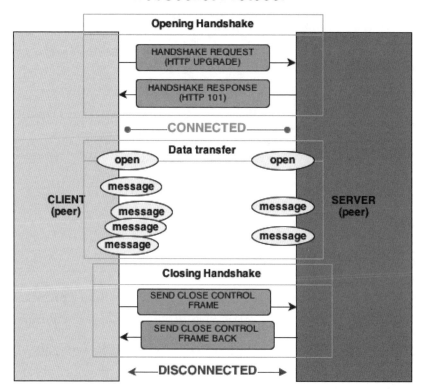

WebSocket Protocol

[그림 1-2] 연결기반 HTML5 WebSocket 통신방식

8

HTML5 WebSocket 기술이 주목받는 배경에는 PC, 테블릿, 스마트폰, 스마트기기 등 모든 스마트 디바이스들의 표준 웹 브라우저이 HTML5를 지원하고 웹 서버에서도 표준 웹 브라우저들의 HTML5 WebSocket과 통신할 수 있는 서버 측 기술환경 (Node.js, ASP.NET SignalR)들이 제공됨에 따라 별도의 플러그인 설치 없이 모든 디바이스의 웹 브라우저와 웹 서버간 연결기반 실시간 양방향 메시징 서비스를 통해 표준화된 방식과 모든 디바이스를 통합할 수 있는 다양한 실시간 웹 서비스를 개발 및 제공할 수 있습니다.

[그림 1-3] HTML5(WebSocket) 지원 표준 5대 브라우저

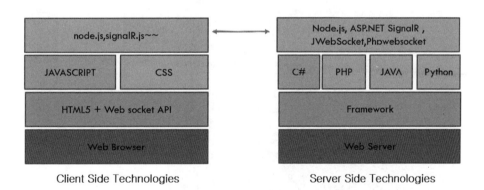

[그림 1-4] 클라이언트/서버 HTML5 WebSocket 지원 기술환경

1.2.3 WebSocket 채팅 서비스 체험

백문이 불여일견이라고 했으니 직접 HTML5 WebSocket과 코드랩 프로젝트에서 사용할 기술로 구현된 서비스를 직접 체험 보도록 하겠습니다.

http://dongledongle.com

네이버에서 동글채팅(또는 동글동글)을 검색하면 웹 사이트가 나옵니다.

사이트를 접속 후 상단메뉴 중 Demo를 클릭합니다. 대화명을 입력하고 접속합니다.

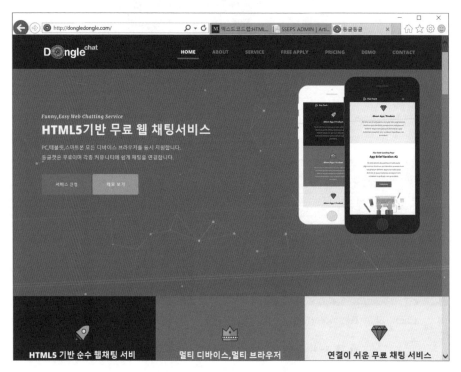

[그림 1-5] HTML5 웹 채팅 서비스 동글동글닷컴

추가 브라우저 탭을 오픈하거나 스마트폰 브라우저에서도 접속해 상호 채팅을 실행

합니다. 별도의 플러그인 설치없이 100% 순수 웹 기반의 채팅이 이루어지고 있는 것을 확인할 수 있습니다.

[그림 1-6] 동글동글채팅 예시

1.2.4 WebSocket 채팅 개발

이번엔 백문이 불여 일타라고 했으니 먼저 간단히 지금까지 다루었던 HTML5 WebSocket 기술을 통해 간단한 채팅 html 페이지를 만들어보겠습니다.

여러분 컴퓨터의 보조프로그램에 있는 메모장을 열고 아래 코드를 복사 붙여넣기 하거나 직접 코딩 후 SimpleChatClient.html 문서로 여러분 컴퓨터에 저장합니다.

저장 후 탐색기에서 해당 파일(SimpleChatClient.html)을 더블클릭하면 웹 브라우저로 해당 파일이 오픈됩니다.

채팅을 하려면 채팅대상으로 최소 1명이상 필요하겠죠?

탐색기에서 해당 파일(SimpleChatClient.html)을 더블클릭하여 새로운 웹 브라우저창을 엽니다. 이번엔 채팅명을 AAAA 텍스트박스 값을 BBBB로 변경하고 Input Message 박스에 채팅내용을 입력 후 Send 버튼을 클릭합니다.

동일 브라우저에 다른 탭으로 화면이 오픈되면 탭을 잡아당겨 브라우저를 두 개를 만들어 채팅하거나 크롬이나 IE등으로 개별 브라우저로 테스트하면 좀 더 용이합니다.

[예제 – SimpleChatClient.html]

```html
<!DOCTYPE html>
<html>
<head>
<meta http-equiv="Content-Type" content="text/html; charset=utf-8"/>
    <title></title>
 <meta charset="utf-8" />
</head>
<body>
    <input type="text" id="userid" width="500" style="width:100%;"
    placeholder="Input User ID" value="AAAA">
    <input type="text" id="message" width="500" style="width:100%;"
    placeholder="Input Message.">
    <br>
    <input type="button" id="btnSend" value="Send" style="width:100%;" />
    <br />
    <ul id="discussion"></ul>
    <script src="http://demo.dongledongle.com/Scripts/ jquery-
    3.3.1.min.js"></script>
    <script src="http://demo.dongledongle.com/Scripts/jquery.signalR-
    2.2.2.min.js"></script>
    <script type="text/javascript">
```

```
        var connection = $.hubConnection('http://demo.dongledongle.
        com/');
        var chat = connection.createHubProxy('chatHub');
        $(document).ready(function () {
            chat.on('addNewMessageToPage', function (name, message) {
                $('#discussion').append('<li><strong>' + htmlEncode(name)
                + '</strong>: ' + htmlEncode(message) + '</li>');
            });
            $('#message').focus();
            connection.start({ jsonp: true }).done(function () {
                $('#btnSend').click(function () {
                    chat.invoke('send', $('#userid').val(),
                    $('#message').val());
                    $('#message').val('').focus();
                });
            });
        });
        function htmlEncode(value) {
            var encodedValue = $('<div />').text(value).html();
            return encodedValue;
        }
    </script>
</body>
</html>
```

두 개의 브라우저 화면에서 채팅이 이루어지나요? 이번엔 브라우저를 하나 더 열어서 다음 주소로 접속합니다.

http://demo.dongledongle.com/home/chat

입력팝업(프롬프트)창이 오픈되면 채팅명을 CCCC로 입력하고 메시지 입력화면에 메시지를 입력 후 Send 버튼을 누릅니다. 이번엔 세 개의 브라우저에서 채팅이 아래와 같이 이루어지고 있는 것을 확인할 수 있습니다.

[그림 1-7] 웹 소켓 심플 채팅 서비스

1, 2번째 오픈한 채팅창은 여러분 컴퓨터내에 독립적으로 실행되는 웹페이지이고 3번째 채팅창은 웹 서버에 의해서 서비스되는 웹페이지입니다.

일반적인 경우는 3번째처럼 사용자들이 웹 사이트 채팅페이지로 접속해서 채팅이 동시에 이루어지겠지만 1,2번처럼 독립적인 html페이지에서도 채팅이 이루어질수도 있습니다. (하이브리드앱 개발시 유용)

1,2번처럼 채팅이 가능한 이유는 웹 브라우저에 의해서 여러분 컴퓨터의 Simple ChatClient.html 웹페이지가 실행되면서 웹 브라우저의 HTML5 WebSocket Client 기술을 이용해 채팅서버(소스상에 http://demo.dongledongle.com)와 통신하면서 해당 채팅서버에 접속한 모든 클라이언트(브라우저)들과 채팅이 가능해진 것입니다.

그럼 좀 더 복잡한 시나리오로 채팅을 즐겨볼까요?

여러분 스마트폰(안드로이드, 아이폰 모두 OK)의 웹 브라우저를 오픈하고 다음 주소로 접속합니다.

http://demo.dongledongle.com/home/chat

여러분 컴퓨터에서는 방금 만든 SimpleChatClient.html 페이지를 브라우저로 열어보세요.

14

상호 채팅이 가능한가요?

컴퓨터에 어떠한 프로그램 설치도 없이 스마트폰에 어떠한 앱 설치 없이도 순수 웹 브라우저 만으로 채팅을 즐길수 있습니다. 또한 브라우저 IE(10이상), Chrome, Safari, Firefox, Opera 어떤 브라우저든 최신 브라우저에서는 모두 채팅이 가능합니다.

이게 바로 HTML5 WebSocket 기반의 순수웹 채팅의 저력입니다.

상기 채팅의 통신방식이나 작동원리등은 이후 차근차근 알아보도록 하고 지금부터는 간단히 브라우저의 HTML5 WebSocket 클라이언트 기술과 어딘가에 있는 웹 서버내 채팅기능을 이용해 순수 웹 채팅하는것을 경험해 보았습니다.

SimpleChatClient.html 페이지 소스를 들여다 보면 간단한 HTML로 문서 구조를 만들고 Javascript 언어(Jquery)로 HTML5 WebSocket API를 활용해 동글 데모 채팅서비스에서 제공하는 웹 서버와 실시간 양방향 통신을 통해 간단한 웹 채팅 기능이 구현된 것을 확인해볼 수 있습니다.

Html 페이지내에서 보면 채팅 서버와 연결되는 각종 API는 순수 HTML5 WebSocket API가 아닌것을 눈치채신분들도 있으실겁니다.

해당 채팅연결 API 코드들은 ASP.NET SignalR이라는 서버측 웹 소켓 채팅을 보다 쉽게 코딩할 수 있도록 제공되는 jquery.signalR−2.2.2.min.js 자바스크립트 라이브러리 파일에서 제공되는 클라이언트 측 채팅 API입니다. 해당 API 안을 들여다 보면 사실 HTML5 WebSocket API로 구현되어 있는것을 확인해볼 수 있습니다.

이와 같이 직접적으로 HTML5 WebSocket API를 사용하지 않은 이유는 Jquery로 자바스크립 언어를 쉽게 사용하게 해주는것과 같거나 대표적인 웹 실시간통신 기술인 node.js 자바스크립트 라이브러리를 제공하는 이유와 같이 개발의 효율성과 편리성을 사용자에게 제공해주기 위해별도의 클라이언트 라이브러리를 제공합니다.

그럼 실제 웹 브라우저가 HTML5 WebSocket 기술로 통신하고 있는지 확인도 해볼까요?

브라우저로 채팅화면을 오픈후 F12 키를 누르면 웹 브라우저의 개발자도구가 아래와 같이 활성화됩니다.

개발자도구 메뉴 중 네트워크 메뉴를 클릭하고 connection 항목을 선택해보면 WebSocket을 통한 통신이 이루어지고 있는 것을 확인해볼 수 있습니다.

[예제 – 순수 **HTML5 WebSocket** 코드 예시]

```
<script type="text/javascript">
        function WebSocketTest(){
          if ("WebSocket" in window)
          {
            alert("WebSocket is supported by your Browser!");
            var ws = new WebSocket("ws://localhost:9998/echo");
            ws.onopen = function()
            {
              ws.send("Message to send");
              alert("Message is sent...");
            };
            ws.onmessage = function (evt)
            {
              var received_msg = evt.data;
              alert("Message is received...");
            };
            ws.onclose = function()
            {
              alert("Connection is closed...");
            };
          }else
          {
          alert("WebSocket NOT supported by your Browser!");
          }
        }
      </script>
```

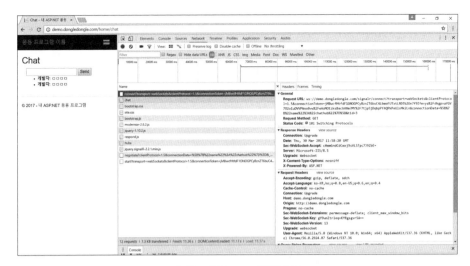

[그림 1-8] Chrome 개발자 도구

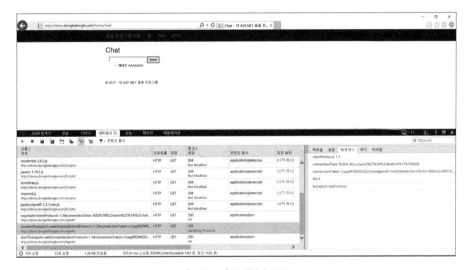

[그림 1-9] IE 개발자 도구

CHAPTER

2

ASP.NET SignalR
웹 채팅 개발기초

2.1 ASP.NET SignalR 소개

ASP.NET SignalR은 Microsoft .NET 기반 환경에서 실시간 웹 통신을 가능하게 해주는 서버기반 GitHub 오픈소스 라이브러리이며 Microsoft의 전통적인 각종 애플리케이션 통합개발환경을 제공해주는 .NET 개발 플랫폼에서의 Web 개발 프레임워크인 ASP.NET 프레임워크에 RealTime Web 통신을 위한 웹 Push 기술을 핵심으로 제공하는 오픈소스 라이브러리입니다.

ASP.NET SignalR 개발관련 사이트

https://github.com/SignalR/SignalR
http://signalr.net/

http://www.asp.net/signalr

ASP.NET SignalR의 핵심기술은 웹 기반에서 클라이언트인 웹 브라우저와 웹 서버와의 연결상태를 지속하는 기술과 데이터를 전송하는 기술에 있습니다.

SignalR은 http 방식으로 클라이언트가 서버에 연결요청을 보내면 TCP 프로토콜을 이용 연결을 영구적으로 유지한 상태에서 서버에서 클라이언트로 응답 메시지를 발신하거나 클라이언트로부터 요청을 수신합니다.

웹페이지가 변경되지 않는 한 연결상태는 지속되며 연결 기반에서 데이터를 전송하기 위해 아래 4가지의 전송방식을 통해 클라이언트에서 서버로 또는 서버에서 클라이언트로 데이터를 전송합니다.

데이터 전송방식으로 최신 표준 브라우저에서 모두 지원하는 HTML5 WebSocket 전송방식을 기본적으로 지원하며 WebSocket 방식을 지원하지 않은 Old Version 브라우저 사용자를 위한 대비책으로 Old Version 브라우저별로 선택적으로 지원하는 다양한 전송방식들 또한 완벽히 지원합니다.

2.1.1 웹 Push 데이터 전송방식

실기간 웹 통신에서 사용되는 웹 브라우저에서 지원하는 각종 데이터 전송기술들은 아래와 같으며 ASP.NET SignalR은 서버상에서 아래 클라이언트에서 지원하는 각종 전송 방식을 모두 지원합니다.

HTML5 WebSocket 방식

웹 브라우저의 HTML5에서 지원하는 실시간 데이터 전송기술이며 HTML5를 지원하는 대부분의 클라이언트의 최신버전 표준 브라우저(IE10, Chrome, Firefox, Safari, Opera)들이 완벽히 지원하며 장점으로는 클라이언트에서 서버로 서버에서 클라이언트로 양방향 전송(twoway)이 가능하며 전송속도 또한 다른 전송기술보다 가장 빠릅니다.

단점으로는 HTML5를 지원하는 최신브라우저(IE 10이상)에서만 지원하며 서버 또한 최신브라우저에서 사용되는 HTML5 WebSokect API 기술을 지원하기 위한 서버측 환경이 제공되어야합니다.

대표적인 서버측 지원 환경으로는 Windows Server O/S의 경우 Windows 2012(IIS8 Webserver) Over & .Net Framework4.5 이상이 설치되어 있는 환경, Node.js 지원환경, 리눅스,우분투 환경내 ASP.NET Core 최신 버전지원 환경 이어야합니다.

물론 개발시에는 Windows7이상 Visual Studio 2012 개발툴 이상 환경이면 개발은 모두 가능합니다.

ServerSentEvents

클라이언트와 서버간 1회선으로 연결되며 재연결의 필요성이 없지만 서버에서 클라이언트로의 단방향 전송만 지원하며 IE는 지원하지 않습니다. (다른 브라우저는 대부분 지원

Comet 기반 전송기술

- Forever Frame: IE에서만 지원하며 iframe이 반복적으로 불필요한 데이터와 함께 로드되는 방식으로 서버에서 클라이언트 메시지를 전송합니다.
- Ajax long Polling: Long Polling 방식은 연결이 지속되지 않으며 지속적으로 클라이언트의 연결가능상태를 확인하여(Polling) 단일 연결 작업 처리 후 연결이 끊기고 다시 폴링을 통해 클라이언트에 연결하는 기술입니다. Ajax를 지원하는 모든 브라우저에서 지원합니다.

채팅 서비스를 이용하는 다양한 클라이언트 브라우저들이 HTML5 WebSocket 전송방식을 지원하지 않더라도 ASP.NET SignalR은 해당 브라우저에서 지원하는 상기 다른 전송방식을 자동으로 파악하여 클라이언트와의 연결과 전송이 정상적으로 처리되게 합니다.

서버에서의 SignalR 전송기술 우선적용 순서는 WebSockets → ServerSentEvents → ForeEver Frame → Long Polling 순으로 클라이언트 브라우저의 지원가능 전송기술을 서버에서 자동 파악하고, 클라이언트와 데이터 전송을 위한 서버 측 전송방식을 결정하여 동일한 전송방식을 통해 통신을 처리합니다.

SignalR은 웹 브라우저와 웹 서버간의 Connection 관리를 자동으로 처리해주며 연결된 Connection은 브라우저를 닫거나 브라우저 탭을 닫거나 페이지를 이동 하지 않은 이상 해당 Connection은 끊어지지 않고 지속되며 물리적으로 네트워크가 일시 단절되더라도 네트워크가 재연결되면 자동으로 다시 연결되는 기능을 제공합니다.

2.1.2 ASP.NET과 ASP.NET SignalR

ASP.NET SignalR 소개

ASP.NET SignalR은 웹 기반에서 각종 웹 브라우저 및 클라이언트와 WebSocket 기술 기반에서 실시간 통신을 가능하게 해주는 서버 측 실시간 웹통신 지원 .NET Framework 환경을 말합니다.

즉, ASP.NET SignalR 기술은 웹 브라우저의 실시간 통신기술인 WebSocket 기술을 지원하기 위한 서버측 기술이며 마이크로소프트의 각종 애플리케이션 개발 및 서비스 통합지원환경인 .NET Platform(Framework)내 웹 개발 전문 프레임워크인 ASP.NET의 웹 실시간 지원 스펙입니다.

아래 그림은 ASP.NET SignalR을 포함하는 .NET 4.6 플랫폼의 전체적인 구성을 보여주는 그림으로써 .NET(닷넷)의 웹 개발 프레임워크인 ASP.NET의 위치를 확인할 수 있습니다.

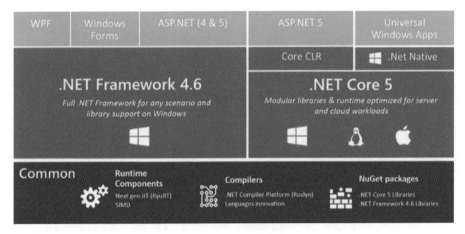

[그림 2-1] .NET 4.6 플랫폼 구성도

ASP.NET SignalR이 포함되어 있는 ASP.NET Framework의 하위스펙을 확인해 보면 다음과 같이 웹 사이트 개발기술과 웹 메시징 개발 기술로 나누어 볼 수 있습니다.

■ 웹 사이트 개발 기술

- ASP.NET Webforms: 전통적인 MS 웹 응용 프로그램 개발기술
- ASP.NET MVC: MVC 패턴을 이용한 MS 웹 응용 프로그램 개발기술
- ASP.NET Web pages: Razor 기반 Simple,Light 신규 웹 응용프로그램 개발기술

■ 메시징 서비스 관련기술

- ASP.NET Web API: ASP.NET 기반에서 쉽게 OPEN API 기반 RESTFul

서비스 서버 개발기술

- ASP.NET SignalR: HTML5 표준 실시간 통신 기술인 WebSocket을 지원하는 서버기술

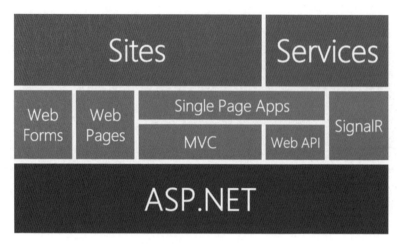

[그림 2-2] ASP.NET 4.6 프레임워크 구성도

.NET Platform 크로스플랫폼 지원 서비스 이중화 전략 ────────

2014년 마이크로소프트 사티아 나델라 회장의 CEO 취임과 함께 마이크로소프트는 Cloud First, Mobile First 전략의 일환으로 마이크로소프트의 전통적인 개발 프레임워크인 .NET Platform(Framework)를 윈도우 서버뿐만 아니라 리눅스, MAC O/S 기반까지 개발 및 서비스를 지원할 수 있는 .NET 크로스 플랫폼 이중화 전략을 펼쳐오고 있습니다.

.NET 크로스 플랫폼 이중화 전략의 산출물로 Linux, MAC 운영체제에서도 Visual C#언어를 이용해 강력한 웹 애플리케이션 개발 및 서비스를 지원하기 위한 .NET Core, ASP.NET Core 개발 프레임워크를 제공하고 있으며 XAMARIN이라는 크로스 플랫폼 네이티브 모바일 앱 개발 프레임워크 또한 제공하고 있습니다.

개발툴 또한 Linux, MAC 운영체제에서 사용할 수 있는 Visual Studio Code, Visual Studio For MAC이라는 강력한 통합개발환경툴을 제공하고 있어 동일언어 기반의 다양한 O/S 환경에서의 손쉬운 각종 애플리케이션 개발을 지원하고 있습니다.

.NET의 크로스 플랫폼 이중화 전략 및 2018년 07월 현재 시점의 ASP.NET 아키텍처와 지속적으로 변모하는 향후 .NET 프레임워크 통합 로드맵을 아래 그림을 통해 확인할 수 있습니다.

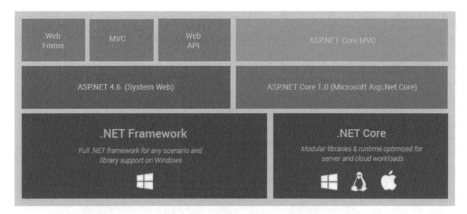

[그림 2-3] .NET 크로스 플랫폼 이중화 전략

2018년 07월 기준 ASP.NET은 Windows OS 기반의 ASP.NET 4.7과 Windows, Linux, MAC 등의 각종 O/S에서 개발 및 서비스되는 ASP.NET Core 2.0으로 프레임워크가 이중화되어 있으며 SignalR 기술은 양쪽 프레임워크에서 지원되고 있습니다.

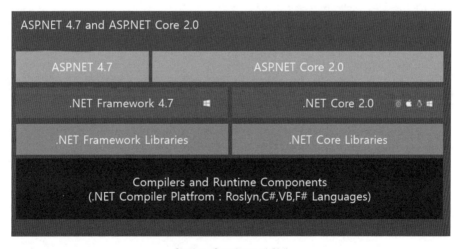

[그림 2-4] ASP.NET 의 현재

현재 .NET Framework는 운영체제별로 이중화되어있는 개발 및 서비스환경을 통

합하기 위해 .NET Standard Library를 중심으로 아래와 같이 통합작업이 진행되고 있으며 점진적으로 .NET Standard Library 기반에서 데스크톱, 모바일, 웹 애플리케이션등의 개발이 통합될 것으로 기대되고 있습니다.

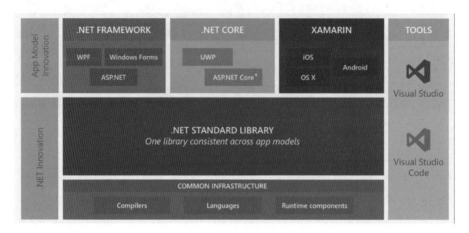

[그림 2-5] .NET의 미래 로드맵

ASP.NET & .NET Platform 기술소개

https://www.asp.net/

https://www.microsoft.com/net/

대부분의 통신방식이 그렇듯이 ASP.NET SignalR 또한 메시지를 주고받는 기본방식은 Client/Server 구조를 채택하고 있습니다.

Client는 사용자 컴퓨터이고 Server는 메시지 서비스를 제공하는 서버 컴퓨터이며 클라이언트 프로그램은 사용자의 웹 브라우저이고 서버는 웹 서버입니다. 아래 SignalR 통신 구조도에서 상호 매칭되는 통신구조를 확인해보시기 바랍니다.

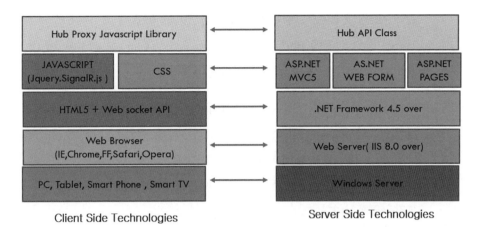

Client Side Technologies	Server Side Technologies

[그림 2-6] SignalR 통신 구조도

SignalR은 Server Push기능을 제공하여 서버에서 브라우저 페이지의 클라이언트 코드(자바스크립트함수)를 원격프로시저호출(RPC)을 이용하여 호출합니다.

ASP.NET SignalR의 내부 구조의 핵심은 서버상의 Hub API 클래스와 해당 서버 Hub 클래스와 매칭되는 클라이언트 브라우저에서 작동되는 HubProxy Javascript 클래스입니다.

일반적인 ASP.NET SignalR 프로그래밍은 서버 측에 클라이언트와의 통신을 위한 HubClass를 정의하고 Hub 클래스 하위에 메시징을 위한 각종 메소드를 정의합니다. 이렇게 정의된 서버측 코드를 이용해 런타임 환경에서 서버측 코드와 1:1로 매칭되는 프록시 자바스크립트 파일을 자동생성하여 해당 프록시 스크립트 파일을 이용해 서버 측 HUB 클래스를 손쉽게 통신을 할 수 있는 환경을 제공합니다.

ASP.NET SignalR Hub 호출 통신 유형 2가지

■ HUB Proxy Javascript File을 이용하는 경우

- 동일 ASP.NET 웹 응용프로그램 내의 웹페이지에서 Hub 클래스를 호출하는 경우

즉, 동일 웹 응용프로그램내에 서버 Hub API와 호출 웹 페이지가 함께 존재하는 경우 설정에 의해 자동으로 Hub Proxy Class를 생성(with the generated proxy) 자바스크립트파일을 만듭니다.

이 방식은 해당 자동 생성된 자바스크립트 파일경로를 해당 호출 웹 페이지 내에 참조만 해주면 요청 웹 페이지가 브라우저에 렌더링 될 때 HubProxy Javascript 파일이 함께 렌더링 제공되고 HUB API와 매칭되는 메소드등이 프록시 자바스크립트 파일에 존재하기 때문에 간결하고 명확한 프로그래밍 환경을 제공합니다.

■ jquery.signalR-ver~.min.js JQuery Library를 이용하는 경우

- 동일 ASP.NET 웹 응용 프로그램 안에 존재하지 않은 웹페이지가 Hub Class를 호출하는 경우

  즉, HUB API를 호출하는 웹 페이지가 HUB API를 제공해주는 동일 ASP. NET 웹 응용프로그램 상에 함께 존재하지 않고 다른 웹 사이트(Cross Domain)에서 Hub를 호출하거나 데스크톱,모바일 클라이언트(하이브리드 앱)에서 Hub를 호출하는 경우

- 외부 웹 사이트나 하이브리드 앱상의 웹페이지에서 Jquery library를 참조 하고 jquery.signalR.ver.js파일을 참조하여 호출 페이지내에서 직접 웹 개발자가 HubProxyClass(without the generated proxy)를 생성하고 서버 측 Hub API를 연결하고 메소드를 명시적으로 호출합니다.

  이 도서에서는 HUB 호출 통신유형 중 일반적인 호출 유형인 HUB Proxy Javascript File을 이용하는 경우를 이용해 채팅 서비스를 개발합니다.

ASP.NET SignalR지원 Platform

ASP.NET SignalR 라이브러리는 대부분의 윈도우 O/S 제품군에 설치되어 서비스될 수 있습니다.

ASP.NET 4.6, 4.7 Framework 기반에서 개발된 SignalR Application은 Windows Server 2012(IIS8 웹 서버) 이상에서 서비스되며 ASP.NET Core 2.0 기반에서 개발된 SignalR Application은 Linux(Ubuntu) 기반에서 서비스가 가능합니다.

■ ASP.NET SignalR 지원 O/S

- Windows Server: Windows Server 2012 이상: IIS 8.0,.NET Frame work 4.5 이상 설치환경
- Linux(Ubuntu): .NET Core, ASP.NET Core 2.0 설치 이상 환경

■ ASP.NET SignalR 지원 IIS버전

IIS는 반드시 응용프로그램 풀의 pipeline 모드가 통합모드로 작동되어야 하며 클래식 모드는 SignalR 환경을 제대로 지원하지 않습니다. (클래식 모드 사용시 Server Sent Event 전송방식을 이용 통신시 최대 30초정도의 딜레이 타임이 발생합니다)

- IIS SignalR웹 사이트의 .NET 신뢰수준을 Full Trust Mode로 설정되어야 합니다.
- IIS8, IIS8 Express

■ SignalR 지원 브라우저

- Microsoft Internet Explorer versions 8, 9 and 10이상. Modern, Desktop, and Mobile versions are supported.

- Mozilla Firefox: 최신버전 − 1, both Windows and Mac versions.

- Google Chrome: 최신버전 − 1, both Windows and Mac versions.

- Safari: 최신버전− 1, both Mac(PC용) and iOS(모바일용) versions.

- Opera: 최신버전 − 1, Windows only.

- Android browser(모바일용)

ASP.NET SignalR 개발환경 및 서비스환경에 대해

ASP.NET SignalR은 서버에서 클라이언트로 실시간 통신할 수 있는 다양한 전송기술을 제공하지만 그중 가장 빠른 속도를 제공하는 WebSocket 방식을 사용하여 고가용성 있는 실시간 웹 응용프로그램을 개발하려면 개발환경으로는 OS: Windows8,개발툴:VisualStudio 2017 Community, .NET Frramework 4.5 이상, IIS8 OR IIS8 Exress

서비스 환경으로는 서버는 Windows Server 2012이상 개발프레임워크는 .NET Framework 4.5 이상 IIS웹 서버는 II8 이상 환경을 권장합니다.

이 도서에서는 Windows Server 기반의 ASP.NET Framework과 Visual Studio 2017 Community를 이용한 채팅 애플리케이션 개발방법을 안내하며 ASP.NET CORE 2.0 기반의 리눅스 O/S기반 웹 채팅 개발 및 서비스에 대해서는 다루지 않습니다.

2.1.3 ASP.NET SignalR 개발환경 구축

개발환경 운영체제

- Windows 8이상 10 권장: Windows7도 개발가능

Windows8에는 IIS8이 포함되어 있으며 IIS8 웹 서버 버전에서만 WebSocket 전송방식을 지원합니다.

Windows8,10에서 IIS8 설치하기
http://studyforus.tistory.com/259

개발툴 설치하기

- Visual Studio 2017 Community Edition(무료) for Windows 권장

Visual Studio Community 2017 다운로드

https://www.visualstudio.com/ko/

- 다운로드 사이트에서 Windows용 다운로드 버튼 클릭 > Community 클릭 다운로드합니다.
- Visual Studio 2017 Community 설치 항목 중 ASP.NET 및 웹 개발 항목 및 Azure 개발 항목등 두개의 항목은 반드시 체크하고 설치를 진행합니다.

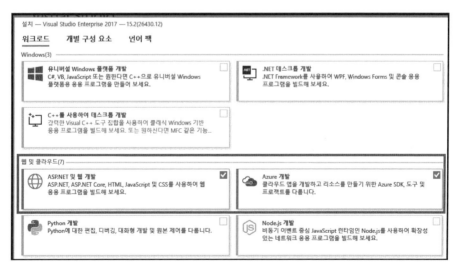

[그림 2-7] Visual Studio 2017 Community 설치 워크로드

Visual Studio 2017 Community 버전 확인하기

원할한 코딩 및 실습을 위해 독자 여러분들의 개발툴 환경을 저자의 개발환경과 일치시키기 위해 아래와 같이 Visual Studio 2017 버전이 하위버전인경우 추가 업데이트 설치를 권장합니다.

- 설치 완료 후 Visual Studio 2017 Community를 실행 후 상단 메뉴 도움말 > Microsoft Visual Studio 정보(A) 메뉴를 클릭하여 개발툴 버전과 .NET Framework 버전을 확인합니다.
- 아래 버전보다 상위버전이면 상관없지만 하위버전이면 상단메뉴 도움말 > 업데이트 확인 메뉴를 클릭해 업데이트 내용을 다운받아 설치합니다.

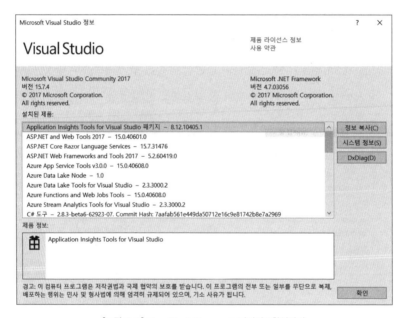

[그림 2-8] VisualStudioCommunity버전정보확인하기

브라우저

- Chrome 최신버전 설치 권장(IE 10이상 가능, Edge 권장)

DBMS

- MS SQL 2014 Express (무료) 권장 – DB 프로그래밍시 사용(옵션)
- 다운로드 및 설치 가이드: http://mixedcode.com/Article/Index?aidx= 1066

2.2 ASP.NET SignalR 개발기초 – 심플채팅

여러분 컴퓨터에 개발환경이 모두 구축되었다면 바로 ASP.NET MVC5 웹 응용프로 그램 기반에서의 SignalR 웹 채팅 기본기능을 구현해보도록 하겠습니다.

1 Visual Studio 2017를 시작합니다.

[그림 2-9] Visual Studio 2017 Community 열기

2 먼저 파일 > 새로 만들기 > 프로젝트를 선택하여 ASP.NET MVC5 웹 응용 프로 그램 프로젝트를 만듭니다.

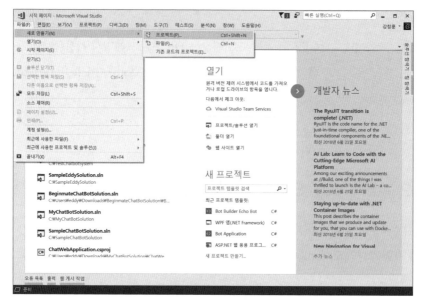

[그림 2-10] 프로젝트 만들기

3 좌측 템플릿에서 C# 언어를 선택하고 하위에 웹을 선택한 후 가운데 템플릿중
ASP.NET 웹 응용 프로그램(.NET Framework)을 선택합니다.

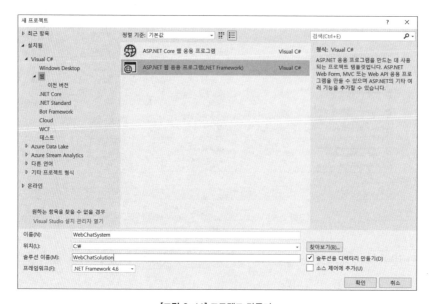

[그림 2-11] 프로젝트 만들기

- 이름은 ASP.NET MVC 웹 프로젝트 이름을 "WebChatSystem" 으로 입력합니다.
- 위치는 솔루션과 프로젝트가 생성될 로컬 드라이브 위치를 C\로 지정합니다.
- 솔루션이름은 "WebChatSolution"이라고 변경합니다. 공란(디폴트)으로 두면 웹 프로젝트명과 동일한 이름으로 지정됩니다.
- 프레임워크: 해당 웹 애플리케이션이 개발되고 서비스될 프레임워크 버전을 ".NET Framework 4.6"으로 지정합니다.

4 ASP.NET MVC 템플릿 선택 및 WEB API 체크박스를 추가 선택합니다.

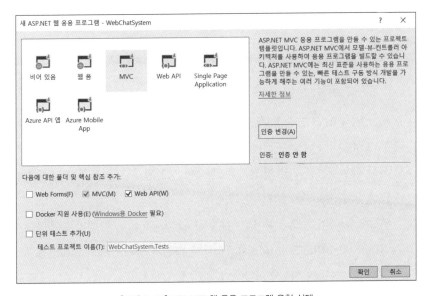

[그림 2-12] ASP.NET 웹 응용 프로그램 유형 선택

- ASP.NET Framework를 이용한 웹 응용프로그램 개발은 Webforms 방식, MVC(5) 방식, SinglePage 방식 세 가지 방식이 제공됩니다.
- WEB API는 ASP.NET OPEN API 서버측 기술환경을 제공합니다.
- 인증변경: 인증안함 선택

5 ASP.NET 웹응용프로그램 개발 프로젝트가 생성됩니다.

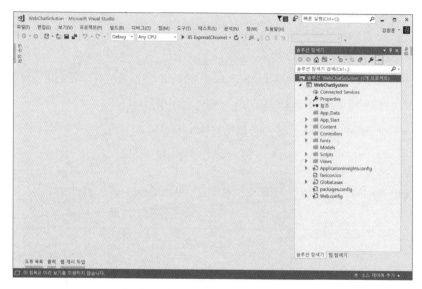

[그림 2-13] ASP.NET MVC 웹 프로젝트 확인

- ASP.NET MVC5 샘플 개발 템플릿이 제공되며 프로젝트의 기본 구조가 자
  동 생성됩니다.
- 우측 메뉴 중 솔루션 탐색기를 클릭해 생성된 프로젝트의 구조를 확인합
  니다.
- 윈도우 탐색기를 오픈하여 C\에 WebChatSolution 폴더가 존재하는지 확
  인하고 WebChatSolution.sln 솔루션 파일과 WebChatSystem 웹 프로젝
  트가 존재하는지 확인합니다.
- WebChatSolution.sln 파일은 현재 구성한 솔루션 및 프로젝트를 다시 오
  픈할 때 해당 파일을 클릭하면 기존에 구성한 솔루션 및 프로젝트를 오픈할
  수 있습니다.

6 ASP.NET MVC5 샘플 웹 사이트의 메인페이지가 오픈된 것을 확인할 수 있습
니다.

- F5를 누르거나 상단 디버그 메뉴에서 디버깅 시작을 클릭해서 디버깅 모드로 샘플 MVC5 웹 사이트를 실행합니다.
- 웹 브라우저가 오픈되고 웹 사이트의 메인페이지가 표시됩니다.
- localhost는 여러분 컴퓨터의 개발용 도메인 주소이며 54838은 포트 주소입니다. 포트주소는 사용자마다 다르게 표시될 수 있습니다.

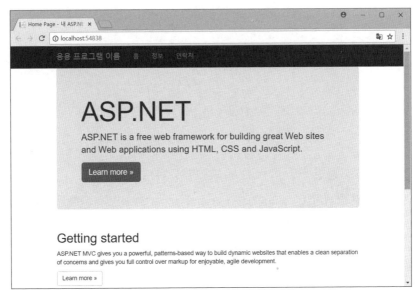

[그림 2-14] 웹응용프로그램 웹 브라우저로 확인하기

7 상단 단축 아이콘 중 빨간색 네모를 클릭하거나 상단메뉴 중 디버그 > 디버깅 중지를 클릭하면 디버깅 모드가 종료됩니다.

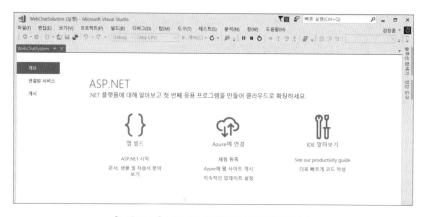

[그림 2-15] ASP.NET 웹 응용프로그램 디버깅종료

8 WebChatSystem 프로젝트에 Hubs 폴더를 추가하고 ChatHub 클래스를 추가합니다.

- 반드시 7번 항목에서 디버깅모드를 먼저 종료합니다.
- 솔루션 탐색기 내 WebChatSystem 프로젝트를 선택하고 마우스 우클릭 > 추가 > 새폴더를 클릭해 Hubs 폴더를 추가합니다.

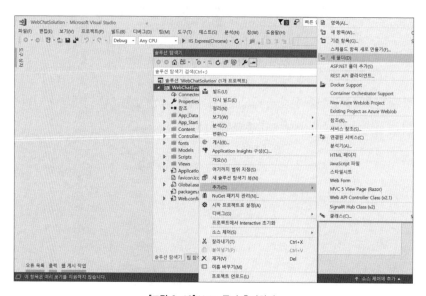

[그림 2-16] Hubs 폴더 추가하기

9 SignalR Hub 클래스를 선택하고 ChatHub 클래스 파일을 추가합니다.

- Hubs 폴더에 마우스 우클릭 > 추가 > 새항목을 클릭합니다.

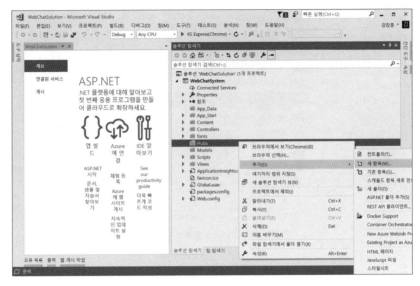

[그림 2-17] 새항목 추가하기

- 새항목 추가하기 템플릿 팝업창에서 좌측 설치 > Visual C# > 웹을 선택 후
  가운데 항목중 SignalR Hub Class(v2)를 선택합니다.
- 하단 이름란에 ChatHub.cs로 클래스명을 지정 후 추가버튼을 클릭합니다.

[그림 2-18] ChatHub 클래스 추가하기1

10 Hubs 폴더에 ChatHub.cs가 추가되고 각종 참조파일 프로젝트에 추가됩니다.

- SignalR Hub 클래스는 웹 기반 실시간 통신 시 클라이언트와 실시간 통신을 위한 서버측 메시징 처리 정의 클래스로 메시지 처리와 관련된 각종 기능을 구현하고 서비스하는 주체입니다.

- Hub 클래스가 Hubs 폴더에 추가되면 ASP.NET MVC5 웹 프로젝트에서 ASP.NET Signalr 기능을 사용할 수 있도록 WebChatSystem 프로젝트의 참조 경로에 Microsoft.AspNet.SignalR.Core.DLL 추가합니다.

- Microsoft.AspNet.SignalR.SystemWeb.DLL이 자동추가되며 클라이언트 코딩을 위해 Scripts 폴더 아래에 Jquery.signalR-2.2.2js, Jquery.signalR-2.2.2.min.js 스크립트 파일이 추가됩니다.

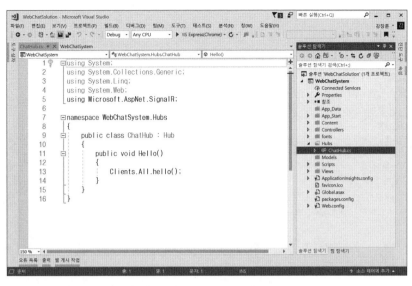

[그림 2-19] ChatHub 클래스 추가하기2

11 ChatHub 클래스에 Send 메소드를 정의합니다.

- ChatHub.cs 파일내에 아래와 같이 SendMethod를 추가합니다.
- Send 메소드는 클라이언트로부터 채팅자명, 채팅메시지를 수신하고 관련 수신 메시지를 현재 접속해있는 모든 클라이언트(웹 브라우저)에게 수신 메시지를 발송하기 위한 채팅 서버 측 메소드입니다.
- Send메소드내 Client.All은 현재 ChatHub.cs 클래스와 연결된 모든 사용자 브라우저를 말하며 BroadCasting(name, message) 클라이언트에 서버 측 메시지를 받을 클라이언트측 메소드 이름을 미리 정의하여 사용자 브라우저로 메시지를 전송하는 기능을 제공합니다.
- 참고로 BroadCasting 함수는 서버측 ChatHub 클래스와 맵핑되는 클라이언트측 HubProxy 자바스크립트 라이브러리내에 정의되며 정의된 함수를 실제 구현해주는 클라이언트측 스크립트 함수를 추후 직접 구현해줍니다.

[예제 – Send 메소드 구현]

```
using System;
using System.Collections.Generic;
using System.Linq;
using System.Web;
using Microsoft.AspNet.SignalR;

namespace WebChatSystem.Hubs
{
    public class ChatHub : Hub
    {
        public void Hello()
        {
            Clients.All.hello();
        }

        public void Send(string name, string message)
        {
            Clients.All.BroadCasting(name, message);
        }
    }
}
```

12 Startup 클래스를 웹 프로젝트 루트에 생성합니다.

- WebChatSystem 웹 프로젝트를 선택하고 마우스 우클릭 > 추가 > 클래스
  를 선택합니다.
- 클래스명을 Startup.cs로 지정하고 추가합니다.
- Startup.cs 파일은 웹 응용 프로그램이 시작되는 시점에 웹 응용 프로그램
  의 각종 환경 설정하는 기능을 제공합니다.

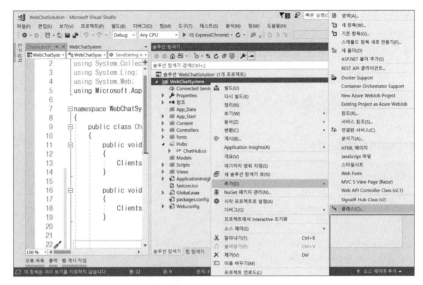

[그림 2-20] 클래스 추가하기

[그림 2-21] Startup.cs 클래스 추가하기

13 ASP.NET MVC5 웹 애플리케이션에 SignalR 환경을 매핑시킵니다.

- Startup 클래스 내에 아래와 같이 Configuration 메소드의 내용을 정의하여 ASP.NET MVC5 웹 응용프로그램 환경에 ASP.NET SignalR 실시간 통신지원기능을 추가 설정합니다.

[예제 - **Startup 클래스 구현**]

```
using Owin;
using Microsoft.Owin;
using Microsoft.AspNet.SignalR;

[assembly: OwinStartup(typeof(WebChatSystem.Startup))]
namespace WebChatSystem
{
    public class Startup
    {
        public void Configuration(IAppBuilder app)
        {
            HubConfiguration hubConfiguration = new HubConfiguration() {
            EnableJSONP = true };
            app.MapSignalR(hubConfiguration);
        }
    }
}
```

14 채팅 웹페이지 생성을 위해 HomeController에 Chat 액션메소드를 추가하고 관련 뷰를 생성합니다.

- WebChatSystem 프로젝트 Controllers 폴더안의 HomeController 클래스를 클릭합니다.
- 아래 화면과 같이 Chat 액션메소드를 코딩합니다.

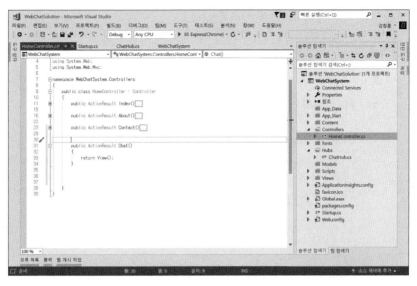

[그림 2-22] Chat 액션메소드 추가하기

15 Chat 액션메소드에 해당하는 뷰를 생성합니다.

- HomeController 클래스내 Chat 액션메소드에 마우스 우클릭 > 뷰추가를 선택합니다.

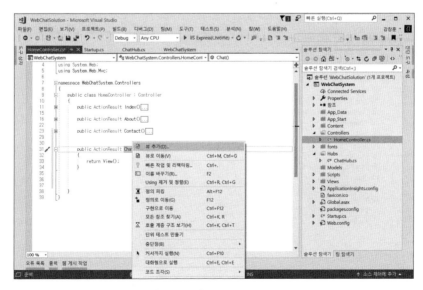

[그림 2-23] Chat 뷰 추가하기

16 Chat 뷰의 레이아웃 페이지를 선택합니다.

- 채팅화면을 담당할 뷰(HTML페이지)의 이름 관련정보를 확인합니다.
- 레이아웃 페이지사용 항목의 오른쪽 선택버튼을 클릭해 채팅뷰의 공통영역 (마스터=레이아웃 페이지)을 표시하는 페이지를 선택합니다.

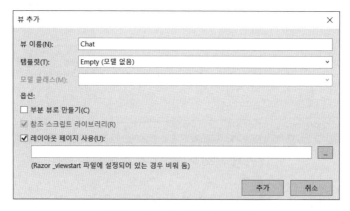

[그림 2-24] Chat 뷰 레이아웃 선택하기

- 채팅 화면의 상단(메뉴)/하단(카피라이트) 영역을 표시하는 레이아웃 페이지를 선택 후 확인을 클릭합니다.

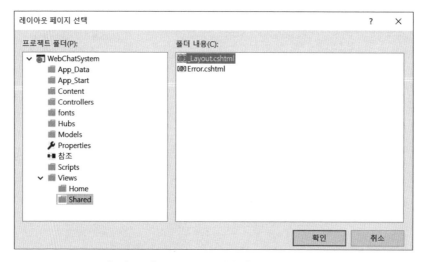

[그림 2-25] _Layout.cshtml 레이아웃 페이지 선택하기

[그림 2-26] _Layout.cshtml 레이아웃 선택결과

- 채팅화면 HTML을 구성할 Chat.cshtml 뷰 페이지가 Views\Home\ 폴더 내에 생성된 것을 확인합니다.
- ASP.NET MVC5에서 HTML화면(뷰)를 구성하는 방법은 위와 같이 Controller 클래스에 액션메소드를 만들고 해당 액션메소드를 이용해 뷰를 만들 수 있습니다.

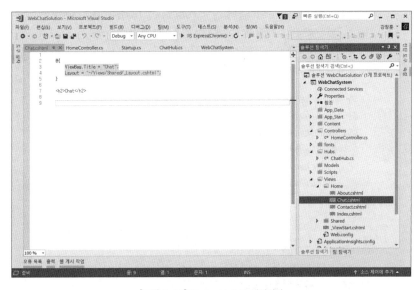

[그림 2-27] Chat.cshtml 뷰 생성결과

17 Chat View를 확인하고 HTML 및 스크립트 코딩을 하거나 샘플에서 복사/붙여 넣기합니다.

[예제 – Chat View 구현하기]

```
@{
    ViewBag.Title = "Chat";
    Layout = "~/Views/Shared/_Layout.cshtml";
}
<h2>Chat</h2>
<div class="container">
    <input type="text" id="message" />
    <input type="button" id="sendmessage" value="Send" />
    <input type="hidden" id="displayname" />
    <ul id="discussion"></ul>
</div>
@section scripts {
    <script src="~/Scripts/jquery.signalR-2.2.2.min.js"></script>
    <script src="~/signalr/hubs"></script>
    <script>
        $(document).ready(function () {
            var chat = $.connection.chatHub;
            chat.client.broadCasting = function (name, message) {
                $('#discussion').append('<li><strong>' +
                htmlEncode(name)+ '</strong>: ' + htmlEncode(message) +
                '</li>');
            };
            $('#displayname').val(prompt('Enter your name:', ''));
            $('#message').focus();
            $.connection.hub.start().done(function () {
                $('#sendmessage').click(function () {
                    chat.server.send($('#displayname').val(),
                    $('#message').val()); $('#message').val('').focus();
                });
            });
        });
        function htmlEncode(value) {
            var encodedValue = $('<div />').text(value).html();
            return encodedValue;
```

```
        }
    </script>
}
```

- 뷰 페이지내의 @는 뷰 페이지내에서 서버코딩을 위한 선언자로 @이후에는 C# 언어를 통해 서버측 코딩이 가능합니다.

- HTML 코드를 보면 id="message" 인 채팅메시지 입력 텍스트 박스가 하나 있으며 입력된 메시지를 어딘가로 전송하는 sendmessage 버튼과 displayname id 값으로 채팅 사용자명을 저장하는 히든필드와 채팅내역을 보여주는 discussion div 태그가 존재합니다.

- 스크립트 정의 영역에서는 <script src="~/Scripts/jquery.signalR-2.2.2.min.js"></script><script src="~/signalr/hubs"></script> 두개의 스크립트 파일이 참조되어 있으며 첫번째 jquery.signalR-2.2.2.min.js 파일은 SignalR 기술기반에 클라이언트에서 서버와의 WebSocket 통신을 도와주는 자바스크립트 지원 라이브러리이며 두번째 ~/signalr/hubs 경로는 서버에 생성한 각종 Hub 클래스들과 1:1로 기능이 맵핑되는 Hub 프록시 자바스크립트 파일경로 입니다.

- 위 스크립트는 웹페이지 로딩이 완료되면 var chat = $.connection.chatHub;을 통해 서버측 Hubs 폴더내에 존재하는 ChatHub 클래스와 통신할 수 있는 Hub Proxy 자바스크립트 라이브러리를 이용해 chatHub 스크립트 객체를 생성합니다.

- 생성된 chat 객체는 서버측 Hubs 폴더내의 ChatHub 클래스와 1:1로 매칭되어 클라이언트측에서 서버측의 ChatHub 클래스와의 통신을 담당합니다.

- chat.client.broadCasting = function (name, message) 함수는 서버측 ChatHub.cs내 Send 메소드에서 모든 클라이언트에게 메시지를 보내는 broadcasting() 스크립트 함수의 기능을 구현하여 서버에서 전달된 이름/메시지정보를 채팅내역에 추가합니다.

- $.connection.hub.start().done(function () {} 클라이언트 Proxy스 크립트 통신 객체와 서버측 Hub 클래스가 연결이 완료된 상태에서 메시지발송 버튼을 클릭하면 chat.server.send($('#displayname').val(), $('#message').val());를 실행시켜 서버측에 ChatHub 클래스에 Send 메소드로 사용자명과 채팅메시지를 송신합니다.
- 스크립트 코딩시 사용되는 서브측 허브 클래스명과 각종 메소드명은 소문자로 표기해야 합니다.

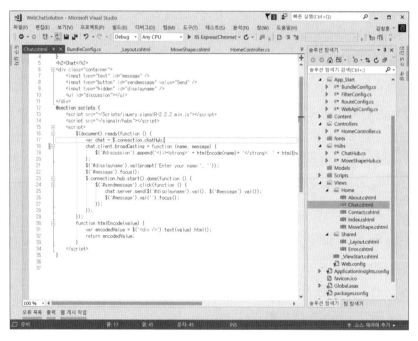

[그림 2-28] Chat.cshtml 뷰 코딩

18 코딩을 완료하고 F5를 누르거나 또는 상단 메뉴 중 디버그 > 디버깅 실행 메뉴를 클릭합니다.

- 채팅 사용자명 입력요청 프롬프트가 뜨면 채팅 사용자명을 "사용자1" 입력합니다.

- 브라우저를 하나 더 오픈 후 먼저 오픈된 브라우저의 상단 주소정보를 복사해 신규 오픈한 브라우저 주소란에 붙여넣은 후 페이지를 로드합니다.
- 두번째 오픈한 브라우저의 채팅 사용자명을 "사용자2"로 입력합니다.
- 세번째 브라우저는 크롬이나 IE등 다른 유형의 브라우저를 오픈하고 사용자명을 "사용자3"로 입력 후 채팅 테스트를 진행합니다.
- 브라우저 세 개에서 동시에 채팅이 실시간으로 정상적으로 이루어지면 실시간 메시징 기능이 정상작동하는 것입니다.

[그림 2-29] 심플채팅화면

[그림 2-30] 다자간 채팅 테스트

19 Hub Server Class vs Hub Proxy Javascript file 통신 매커니즘

- 웹 브라우저와 웹 서버간 웹 기반의 실시간 통신이 어떻게 이루어지는지 좀 더 구체적으로 알아보겠습니다.

- Hubs 폴더에 생성한 ChatHub 서버측 클래스를 생성하면 프로그램 실행시 (런타임)에 ~/signalr/hubs 경로로 자동으로 서버측 ChatHub.cs와 매칭 되는 자바스크립트 프록시 파일이 서버상에 생성됩니다.

- 생성된 자바스크립트 프록시 파일의 경로는 뷰 페이지에서 참조한 <script src="~/signalr/hubs"></script>경로를 통해 웹페이지에 참조되며 개발 디버깅 환경에서 http://localhost:xxxx/signalr/hubs 주소경로를 브라우 저에서 입력해보면 프록시 자바스크립 파일이 다운로드되는 것을 확인해볼 수 있습니다.

- 클라이언트 측 Hub 자바스크립트 프록시 파일을 Jquery로 손쉽게 코딩할 수 있게 지원해주는 스크립트 라이브러리 파일이 <script src="~/Scripts/ jquery.signalR-2.2.2.min.js"></script> 뷰 페이지 상단에 참조되어 있어 해당 jquery.signalR-2.2.2.min.js 파일의 기능을 이용해 클라이언트 측에 서 jquery로 서버의 허브클래스와 통신할 수 있는 기능을 구현합니다.

- 해당 자바스크립트 프록시 파일과 서버 허브 파일간에 서로 메시징을 주고 받는 구조로 채팅의 흐름이 구성되어 있는 것을 확인해보았습니다.

Clients.Client(id).myClientFunc()

Server invocation of client method
myClientFunc()

$.connection.myHub.server.myServerFunc()

Client invocation of server method
MyServerFunc()

[그림 2-31] Hub Class와 HubProxy 통신 매커니즘

지금까지 Visual Studio 2017와 ASP.NET MVC5 + ASP.NET SignalR 기술을 활용해 간단한 웹 채팅 기능을 모두 구현해보았습니다.

2.3 ASP.NET SignalR 개발기초 – 사용자액션 동기화

이번 시간에는 실시간 웹 기술환경을 이용해 웹게임의 기초가 되는 간단한 모형이동 사용자 액션 동기화 샘플을 만들어보도록 하겠습니다.

대략적인 시나리오는 사각형 모양을 특정 사용자가 클릭해 드래그하면 해당 웹페이지에 접속해 있는 모든 사용자의 브라우저에 있는 동일 사각형 모양이 함께 움직이는 예시입니다.

해당 시나리오를 응용하면 캐주얼 웹게임, 보드게임, 화이트보드, 실시간 모니터링 등의 서비스를 직접 개발할 수 있습니다.

1 jQuery UI 자바스크립트 라이브러리를 프로젝트에 설치합니다.

- 프로젝트에서 마우스 우클릭 > NugetPackage관리를 클릭합니다.
- NugetPackage는 Visual Studio에서 각종 프로젝트에 오픈소스 라이브러리를 쉽게 추가하고 관리할 수 있게 도와주는 오픈소스 패키지 관리자로 NODE에서의 npm과 유사한 기능을 제공합니다.

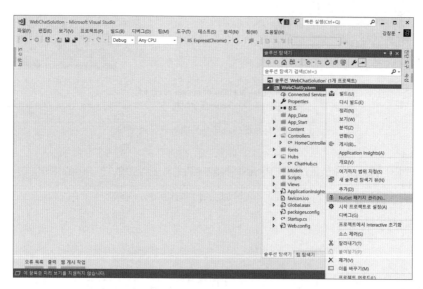

[그림 2-32] NugetPackage 관리 오픈

- 찾아보기 탭을 클릭하고 조회입력란에 "jQuery.UI.Combined"을 입력 후 조회를 실시합니다.
- 조회결과 최상단 jQuery.UI.Combined를 선택 후 설치버튼을 클릭하면 설

치가 진행되고 진행중 팝업창이 뜨면 확인버튼을 클릭하여 설치를 계속진행
합니다.

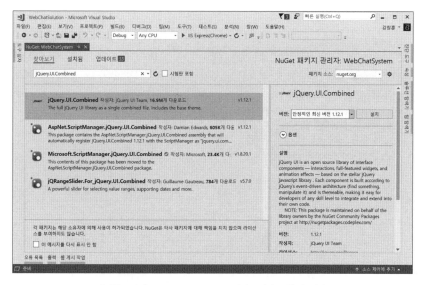

[그림 2-33] Jquery.UI.Combined 라이브러리 조회 및 설치

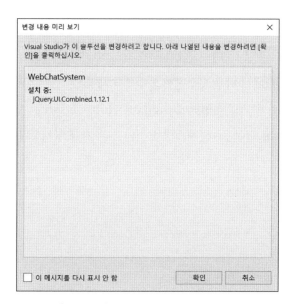

[그림 2-34] Jquery.UI.Combined 설치확인창

- 설치가 완료되면 Scripts 폴더내에 jquery-ui-1.12.1.js와 jquery-ui-1.12.1.min.js Jquery UI 스크립트 라이브러리가 자동 설치된 것을 확인할 수 있습니다.

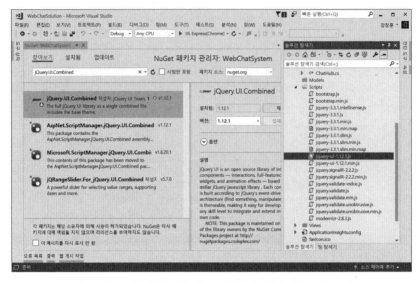

[그림 2-35] Jquery.UI.Combined 설치완료 확인

2 Hubs 폴더에 MoveShapeHub.cs 클래스를 추가합니다.

- Hubs 폴더에서 마우스 우클릭 > 추가 > 새항목을 클릭합니다.
- 좌측 웹선택 가운데영역에 SignalR Hub Class(v2) 템플릿을 선택 후 MoveShapeHub.cs 클래스명을 입력 후 추가를 클릭합니다.

[그림 2-36] MoveShapeHub.cs 클래스 추가

3 MoveShapeHub 클래스에 UpdateModel() 메소드와 ShapeModel 모델을 코
딩합니다.

- UpdateModel() 메소드는 클라이언트로부터 ShapeModel 데이터 포맷으
  로 전달된 데이터를 수신받아 자신을 제외한 모든 사용자 브라우저에게 갱
  신된 모델정보를 클라이언트에 정의될 updateShape 함수로 발신하는 기능
  을 제공합니다.
- ShapeModel 클래스는 클라이언트와 서버간 전달되는 도형관련 정보를 담
  는 데이터모델로 도형의 브라우저상의 TOP, LEFT 좌표위치와 최종 도형의
  위치를 변경한 사용자의 ID값(HubConnectionID)을 저장하는 데이터 저
  장 및 전달 클래스입니다.

[예제 - **MoveShapeHub 구현하기**]

```
using System;
using System.Collections.Generic;
```

```
using System.Linq;
using System.Web;
using Microsoft.AspNet.SignalR;
using Newtonsoft.Json;

namespace WebChatSystem.Hubs
{
    public class MoveShapeHub : Hub
    {
        public void UpdateModel(ShapeModel clientModel)
        {
            clientModel.LastUpdatedBy = Context.ConnectionId;
            Clients.AllExcept(clientModel.LastUpdatedBy).
            updateShape(clientModel);
        }
    }

    public class ShapeModel
    {
        [JsonProperty("left")]
        public double Left { get; set; }

        [JsonProperty("top")]
        public double Top { get; set; }

        [JsonIgnore]
        public string LastUpdatedBy { get; set; }
    }
}
```

4 HomeController에 MoveShape 액션메소드를 추가하고 뷰를 추가합니다.

- Controllers 폴더내 HomeController 클래스를 오픈합니다.
- MoveShape 액션메소드를 추가합니다.

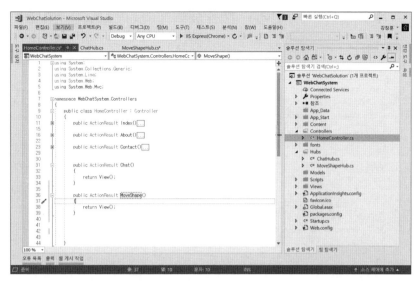

[그림 2-37] MoveShape 액션메소드 추가

- MoveShape 액션메소드에서 마우스 우클릭 > 뷰 추가를 클릭합니다.
- 추가할 뷰내용을 확인 후 Add를 클릭하여 뷰를 추가합니다.

[그림 2-38] MoveShape 뷰추가1

- 레이아웃은 기존에 선택한 이력이 있어 ~Layout.cshtml이 선택되어 있습니다.

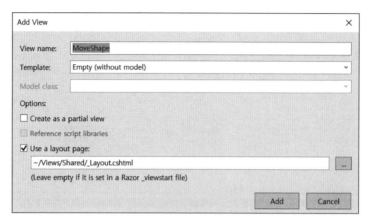

[그림 2-39] MoveShape 뷰추가2

- Views\Home\ 폴더내에 MoveShape.cshtml 뷰 페이지가 생성된 것을 확인합니다.

[그림 2-40] MoveShape 뷰추가완료

5 MoveShape View 코드를 아래와 같이 코딩합니다.

[예제 – MoveShape View 구현하기]

```
@{
    ViewBag.Title = "MoveShape";
    Layout = "~/Views/Shared/_Layout.cshtml";
}
@section styles
{
<style>
    #shape {
        width: 100px;
        height: 100px;
        background-color: #FF0000;
    }
</style>
}
<div id="shape" />
@section scripts
{
<script src="/Scripts/jquery-ui-1.12.1.min.js"></script>
<script src="/Scripts/jquery.signalR-2.2.2.js"></script>
<script src="/signalr/hubs"></script>

<script>
$(function () {
        var moveShapeHub = $.connection.moveShapeHub,
        $shape = $("#shape"),
        shapeModel = {
            left: 0,
            top: 0
        };
        moveShapeHub.client.updateShape = function (model) {
            shapeModel = model;
            $shape.css({ left: model.left, top: model.top });
        };
        $.connection.hub.start().done(function () {
            $shape.draggable({
                drag: function () {
```

```
                        shapeModel = $shape.offset();
                        moveShapeHub.server.updateModel(shapeModel);
                    }
            });});
        });
</script>
}
```

- 위 코드는 style 영역에 사각형 도형의 크기와 색상을 지정합니다.

- JQuery UI 스크립트 라이브러리를 추가한 후 심플 채팅 소스와 동일하게 SignalR 관련 스크립트 라이브러리를 두 개를 참조합니다.

- 화면이 로드된후 var moveShapeHub = $.connection.moveShapeHub, 코드를 이용해 서버의 MoveShapeHub.cs의 클라이언트측 proxy script 객체인 moveShapeHub를 생성합니다.

- 서버의 Hub 클래스내 UpdateModel() 메소드에서 클라이언트에 전달하는 모델데이터를 수신할 updateShape 함수의 기능을 moveShapeHub. client.updateShape = function (model)에서 구현하여 도형의 위치를 서버에서 전달된 데이터로 위치로 변경조치합니다.

- client와 서버의 연결이 완료된 상태에서 모형의 드래그 이벤트가 발생하면 클라이언트 상의 도형의 좌측정보를 받아 moveShapeHub.server. updateModel(shapeModel); 서버의 updateModel 메소드에게 도형의 좌표정보모델 데이터값을 전달합니다.

6 마스터 화면을 담당하고 있는 Views_Layout.cshtml에 RenderSection Style 을 추가합니다.

- 웹페이지의 공통페이지를 담당하는 레이아웃페이지에 MoveShape.cshtml 페이지에 정의되어있는 "styles" 섹션을 렌더링하는 코드를 삽입해줍니다.

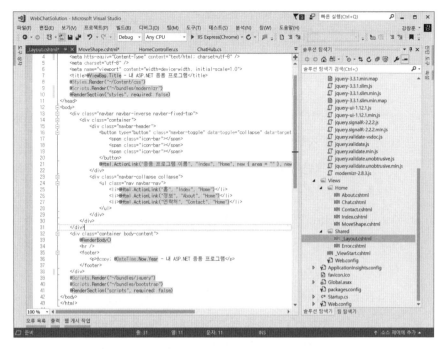

[그림 2-41] _Layout.cshtml 레이아웃 페이지 뷰수정

[예제 - styles RenderSection 추가]

```
<!DOCTYPE html>
<html>
<head>
<meta http-equiv="Content-Type" content="text/html; charset=utf-8"/>
    <meta charset="utf-8" />
    <meta name="viewport" content="width=device-width, initial-
    scale=1.0">
    <title>@ViewBag.Title - 내 ASP.NET 응용 프로그램</title>
    @Styles.Render("~/Content/css")
    @Scripts.Render("~/bundles/modernizr")
    @RenderSection("styles", required: false)
</head>
.....

    @Scripts.Render("~/bundles/jquery")
```

```
    @Scripts.Render("~/bundles/bootstrap")
    @RenderSection("scripts", required: false)
</body>
</html>
```

- 레이아웃 페이지의 @Styles.Render("키명") 메소드는 프로젝트내 App_
  Start 폴더내에 정의된 BundleConfig.cs 파일내 키명으로 정의된 각종 공
  용 스타일, 스크립트의 리소스 파일들을 레이아웃 페이지에 렌더링해주는
  기능을 제공합니다.

- @RenderSection("키명", 필수렌더링여부) 메소드는 개별 뷰 페이지내 정
  의된 섹션영역을 섹션명을 이용해 현재 위치에 렌더링해주는 기능을 제공합
  니다.

- @Scripts.Render("~/bundles/jquery")과 @Scripts.Render("~/
  bundles/bootstrap") 코드를 통해 Scripts 폴더내 JQuery 최신버전과 부
  트스트랩 최신버전이 페이지 로드시 함께 렌더링 되기 때문에 콘텐츠 뷰 페
  이지에서 Jquery 라이브러리 및 부트스트랩 라이브러리를 참조하지 않아도
  관련 기능의 사용이 가능했던것입니다.

7 디버깅을 시작해 해당 뷰를 여러 브라우저에서 오픈 후 사각형을 드래그해보면
다른 화면에서 동시에 동일하게 움직이는 것을 확인할 수 있습니다.

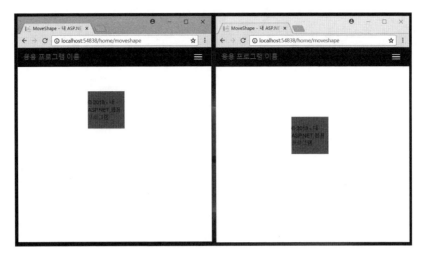

[그림 2-42] 도형 사용자 액션 동기화 예시

지금까지 실시간 웹 통신을 이용한 웹게임의 원리를 구현해 보았습니다.

ASP.NET SignalR
웹 채팅 개발

3.1 웹 채팅 기능 구현1 – 채팅방입장, 메시지처리

3장에서는 본격적으로 채팅 HTML 템플릿을 이용한 상용화가 가능한 채팅 서비스를 직접 구현해보도록 하겠습니다.

무료로 제공되는 웹 채팅 템플릿을 ASP.NET MVC5 웹페이지에 적용해보고 채팅방 입장 및 여러 사용자와 기본적인 채팅 메시지를 주고받을수 있는 기능을 함께 구현해보겠습니다.

HTML 웹 채팅 템플릿 다운로드

http://mixedcode.com/download/WebChatTemplate_New.zip

1 웹 채팅 템플릿을 다운받고 압축을 해제합니다.

- 폴더내에 있는 ChatTemplate.html을 클릭하고 브라우저에서 보여지는 내
용을 먼저 확인합니다.
- 윈도우 탐색기에서 WebChatTemplate_New 폴더내의 Customer 폴더와
ChatTemplate.html 파일을 선택하고 복사합니다.

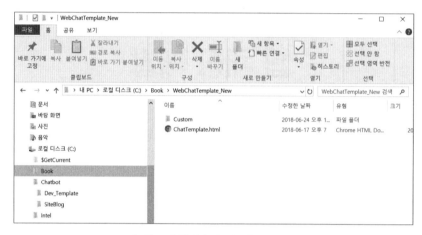

[그림 3-1] 웹 채팅 템플릿 압축파일 풀기

[그림 3-2] 웹 채팅 템플릿 html페이지 확인하기

2 WebChatSystem 프로젝트내에 복사한 템플릿 폴더와 페이지를 붙여넣습니다.

- WebChatSystem 웹 프로젝트를 선택하고 마우스 우클릭 탐색기에서 복사한 내용을 붙여넣습니다.

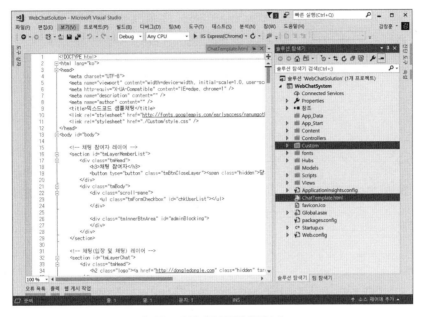

[그림 3-3] 웹 채팅 템플릿 붙여넣기

3 웹 채팅 Talk 액션메소드 생성하기

- 웹 프로젝트 루트에 복사된 ChatTemplate.html 문서를 참고해서 MVC 채팅 뷰를 만들어보도록 하겠습니다.
- Controllers 폴더내 HomeController를 오픈하고 Talk 액션메소드를 하나 추가합니다.
- Talk 액션 메소드에서 마우스 우클릭 후 뷰 추가를 클릭합니다.

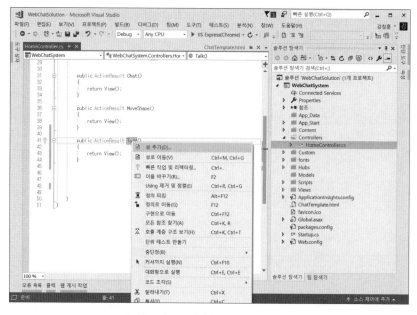

[그림 3-4] Talk 액션메소드 및 뷰 추가하기

4 Talk 뷰 추가하기

- 해당 Talk 뷰는 단일 HTML 페이지로 구성되기 때문에 Use a layout page
  항목 체크를 해제합니다.
- Talk 뷰 페이지는 채팅 전용 ONE 페이지로 개발되고 서비스됩니다.

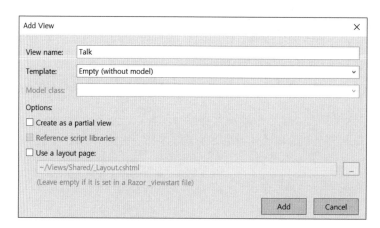

[그림 3-5] Talk 뷰 추가하기2

5 Views\Home\Talk.cshtml 뷰 페이지가 추가된 것을 확인합니다.

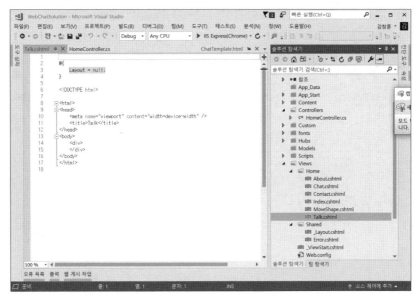

[그림 3-6] Talk 뷰 생성완료

6 제공된 템플릿 html 페이지의 코드를 복사하여 Talk.cshtml 뷰 페이지에 추가
합니다.

- 웹 프로젝트 루트에 제공된 ChatTemplate.html 테플릿 페이지의 소스를
복사하여 Talk 뷰 페이지에 아래와 같이 전체를 붙여넣습니다.
- 붙여넣기 후 뷰 최상단에 레이아웃 관련 코딩을 아래와 같이 추가해주시고
스타일시트 참조 경로를 절대경로에서 상대경로로 아래와 같이 변경합니다.

[예제 - **Talk뷰 구현하기**]

```
@{
    Layout = null;
}
```

...... •

```
<link rel="stylesheet" href="/Custom/style.css" />
```

[그림 3-7] Talk 뷰 소스코드

7 F5를 누르거나 상단 아이콘 중 디버깅 시작을 클릭하여 웹 브라우저로 Talk 뷰를 확인합니다.

• 디버깅 후 오픈된 웹 브라우저 주소란에 /Home/Talk 경로로 호출하면 해당 뷰를 확인할 수도 있습니다.

[그림 3-8] Talk 뷰 화면 확인하기

8 채팅 기능 구현을 위한 TalkHub 클래스를 추가합니다.

- 웹 프로젝트 내 Hubs 폴더에 마우스 우클릭 추가 > 새항목을 클릭합니다.
- 좌측 템플릿 유형에서 웹을 선택하고 가운데 영역에 SignalR Hub Class(v2) 템플릿을 선택합니다.
- TalkHub.cs 클래스명을 입력 후 추가합니다.

[그림 3-9] TalkHub.cs 클래스 추가하기

9 Hubs 폴더에 TalkHub.cs 채팅 서비스 허브 클래스가 추가되었습니다.

[그림 3-10] TalkHub.cs 클래스 추가확인하기

10 채팅화면을 담당하는 Talk 뷰 HTML 소스 내용을 확인합니다.

- Views\Talk.cshtml 뷰 페이지를 오픈하고 주요 Section 태그의 노드를 접어 주요기능 제공 HTML영역을 확인합니다.

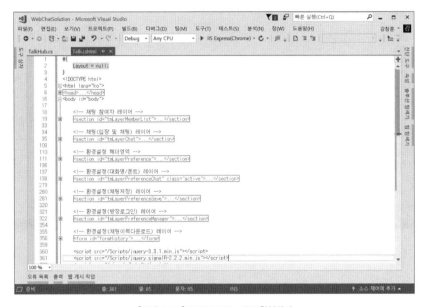

[그림 3-11] Talk뷰 HTML 구조확인하기

11 채팅방 입장 화면 태그영역의 내용을 확인합니다.

- 먼저 채팅방 입장 화면을 표현하는 아래 HTML 태그 영역의 구조를 확인합니다.
- 대화명 입력 텍스트박스 하나와 입장 버튼이 존재합니다.

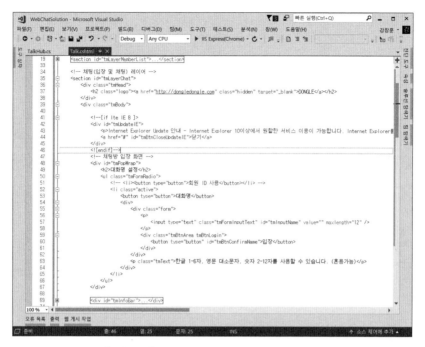

[그림 3-12] Talk 뷰 채팅방 입장 팝업 레이어 구조확인

12 Talk 뷰 페이지의 하단에 존재하는 디폴트 스크립트 코딩 영역을 확인합니다.

- 해당 스크립트 코딩영역은 채팅 페이지가 로딩되면 TalkHub 클라이언트 객체를 생성합니다.

- 채팅 레이아웃 관련하여 초기화 작업을 진행해줍니다.

- 채팅창 입장 팝업 레이어 창을 오픈해줍니다.

- 채팅창의 사이즈가 변경될 때마다 관련 레이아웃을 조정처리하며 채팅내역이 길어지면 최하단으로 스크롤바가 자동이동되게 처리해주는 기본 기능 등을 제공합니다.

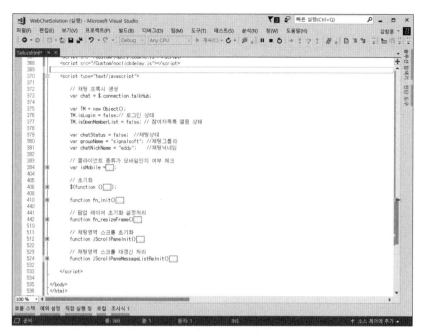

[그림 3-13] Talk 뷰 초기 스크립트 코딩내용 확인

13 대화명을 입력하고 채팅방에 입장하는 기능을 구현합니다.

- 채팅방 입장 버튼을 클릭하면 간단한 입력 유효성 검사를 하고 TalkHub.cs
  채팅 서비스의 Entry 메소드를 호출하는 스크립트 코드를 function jScroll
  PaneMessageListReInit() 함수 아래부분에 구현합니다.
- Hubs\TalkHub.cs 클래스 파일에 Entry 메소드를 구현합니다.
- TalkHub Entry 메소드에서는 입장한 사용자의 대화명을 받아 전체 접속자
  에게 입장 알림 메시지를 발송합니다.
- 뷰 페이지내에 entryMessage 수신 이벤트를 등록하고 채팅방 입장 메시지
  를 html 태그와 스타일을 지정하여 화면에 표기합니다.

[예제 – 채팅방 입장 클라이언트 코드 구현]

```
//In Client - Talk.cshtml


//채팅방 입장처리
$("#tmBtnConfirmName").click(function () {

    var userName = $("#tmInputName").val();

    if (userName == "") {
        alert("대화명을 입력해주세요.");
         $("#tmInputName").focus();
        return false;
    }

    chatNickName = userName;

    $.connection.hub.start().done(function () {

        //사용자 대화방 입장정보 전송
        chat.server.entry(chatNickName);
        $("#tmPopWrap").hide();
    });
});


// 채팅방 입장 메시지처리
chat.client.entryMessage = function (message) {
    var html = '';
    html += '<p class="tmSystemMsg">';
    html += '<span class="tmMsg"><strong>' + message + '</
    strong></span>';
    html += '</p>';

    $("#tmMessageList .tmInner .jspPane").append(html);
    jScrollPaneMessageListReInit();
};
```

78

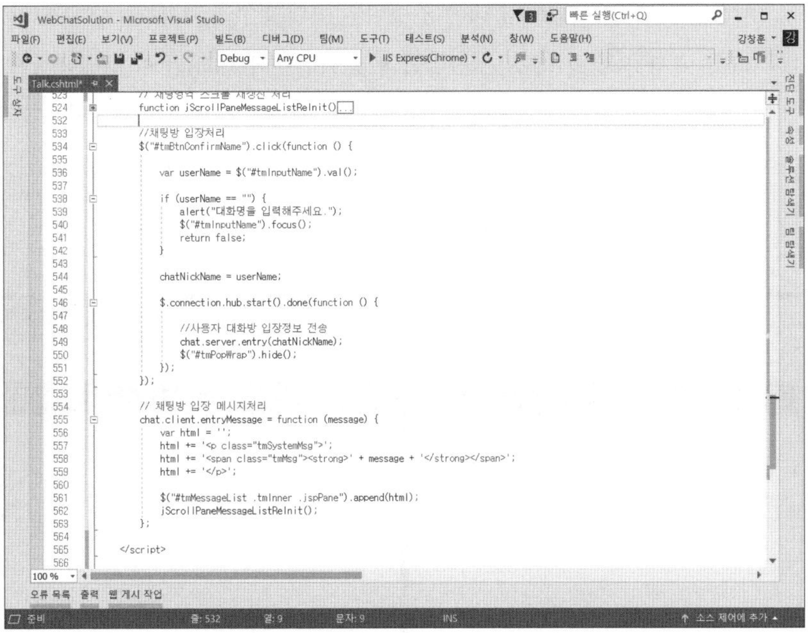

[그림 3-14] 채팅방 입장 및 입장완료 메시지 처리 스크립트 코드

[예제 - 채팅방 입장 서버 코드 구현]

```
//Server - TalkHub.cs (Message Service)

// <summary>
// 사용자 대화방 입장 및 입장 알림 브로드캐스팅
// </summary>
// <param name="userName"></param>
public void Entry(string userName)
{
    string entryMsg = string.Format("{0}님이 입장하셨습니다.",
    userName);
    Clients.All.EntryMessage(entryMsg);
}
```

14 채팅화면 가운데로 한 줄씩 입장 메시지가 나타나는 것을 확인합니다.

- 뷰(Talk.cshtml) 페이지 내에 스크립트 코딩과 TalkHub.cs 클래스내에 서버측 메시지 처리 메소드 코딩이 완료되었으면 Visual Studio에서 Talk.cshtml 뷰가 선택된 상태에서 F5, 디버깅 메뉴를 클릭하여 브라우저로 Talk 뷰를 오픈하여 채팅 사용자 입장이 정상적으로 이루어지고 입장메시지가 정상 출력되는지 확인합니다.

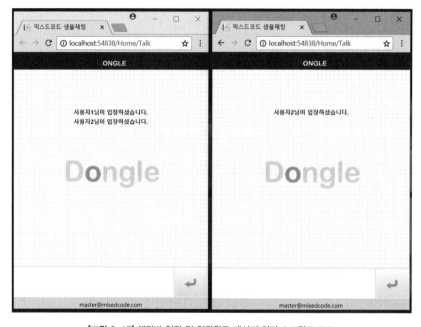

[그림 3-15] 채팅방 입장 및 입장완료 메시지 처리 스크립트 코드

🔢 채팅방 입장 후 채팅 메시지를 보내는 기능 구현을 위한 HTML 태그를 확인합니다.

- Talk.cshtml 뷰에서 채팅 메시지 목록 및 메시지 입력/전송 HTML 태그영역을 확인합니다.

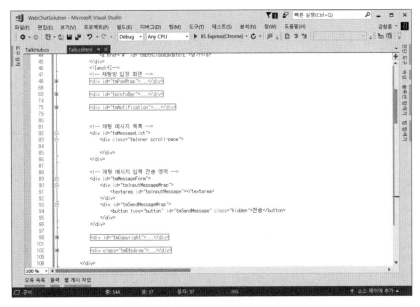

[그림 3-16] 채팅 메시지 목록 및 메시지 입력전송 영역확인

16 채팅 메시지 전송 및 수신 기능을 구현합니다.

- 뷰에서 전송 버튼을 클릭하면 TalkHub.cs 메시징 클래스의 Send 메소드에 입력 메시지를 전달합니다.

- 해당 메시지는 본인을 제외한 모든 사용자에게 발송되며 본인 발신 메시지 는 화면 우측영역에 발송시 직접 표기해줍니다.

- 본인을 제외한 모든 사용자는 getMessage 함수를 통해 메시지를 수신하고 화면 좌측에 타인으로부터 수신한 메시지를 표기합니다.

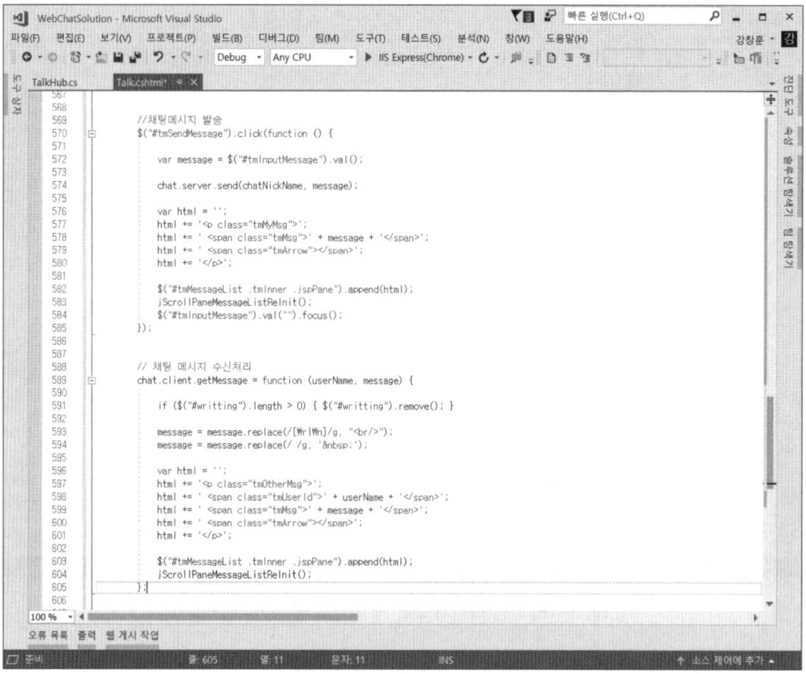

[그림 3-17] 채팅 메시지 전송 및 수신처리 기능 스크립트 코딩화면

[예제 – 채팅메시지 발신/수신 클라이언트 코드 구현]

```
//Client - Talk.cshtml (View)

//채팅메시지 발송
$("#tmSendMessage").click(function () {
var message = $("#tmInputMessage").val();
chat.server.send(chatNickName, message);


var html = '';
html += '<p class="tmMyMsg">';
html += ' <span class="tmMsg">' + message + '</span>';
html += ' <span class="tmArrow"></span>';
html += '</p>';

$("#tmMessageList .tmInner .jspPane").append(html);
jScrollPaneMessageListReInit();
$("#tmInputMessage").val("").focus();
```

```
});

// 채팅 메시지 수신처리
chat.client.getMessage = function (userName, message) {
if ($("#writting").length > 0) { $("#writting").remove(); }

message = message.replace(/[\r|\n]/g, "<br/>");
message = message.replace(/ /g, ' ');

var html = '';
html += '<p class="tmOtherMsg">';
html += ' <span class="tmUserId">' + userName + '</span>';
html += ' <span class="tmMsg">' + message + '</span>';
html += ' <span class="tmArrow"></span>';
html += '</p>';

$("#tmMessageList .tmInner .jspPane").append(html);
jScrollPaneMessageListReInit();
};
```

[예제 – 채팅메시지 발신/수신 서버 코드 구현]

```
// Server - TalkHub.cs (Message Service)

// <summary>
// 채팅 메시지 수신 및 브로드 캐스팅
// </summary>
// <param name="userName"></param>
// <param name="message"></param>
public void Send(string userName, string message)
{
    message = message.Replace("<", "&lt;").Replace(">", "&gt;");
    Clients.Others.GetMessage(userName, message);
}
```

17 채팅방 입장 및 메시지 수발신이 정상적으로 아래와 같이 이루어지는지 확인합니다.

- 채팅화면 하단에 메시지 입력란에 채팅내용을 입력 후 우측발송 버튼을 클릭합니다.
- 본인이 발신하는 메시지는 발신과 동시에 우측에 표시되고 서버와 연결된 다른사용자들에게는 왼쪽에 메시지가 표시됩니다.

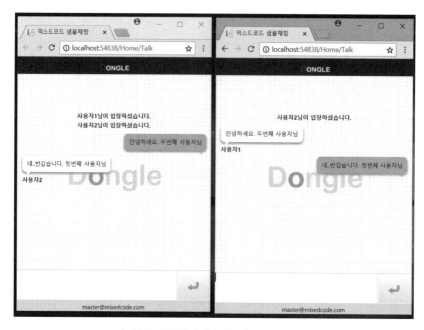

[그림 3-18] 채팅 메시지 전송 및 수신처리 화면

3.2 웹 채팅 기능 구현2 – 그룹채팅 및 강퇴처리

3.2장에는 채팅 참여자 목록을 보여주고 특정 사용자를 강퇴처리하는 로직을 구현해 보겠습니다.

그리고 사용자들이 채팅 서비스에 최초 연결되었을 때 브라우저를 닫고 나가거나 직접 퇴장하기 버튼을 클릭했을 때 등의 이벤트 기반에서 정보를 처리하는 방법들을 알아 보겠습니다.

1 화면상에 숨겨있던 채팅 메뉴 헤더바 HTML 영역을 표시합니다.

- 메뉴 헤더바 영역에는 좌측에 채팅 접속자 수를 표기하고 해당 숫자를 클릭하면 좌측영역에서 채팅사용자 목록 및 강퇴기능 제공 레이어가 나타납니다.
- 우측 영역에는 환경설정 버튼과 채팅 나가기 버튼이 제공됩니다.
- 메뉴 헤더바 하단에는 채팅방 명을 표기하는 영역이 나타납니다.
- 뷰 페이지에서 채팅참여자 목록 및 환경서정 헤더 영역 HTML 태그 영역을 확인합니다.

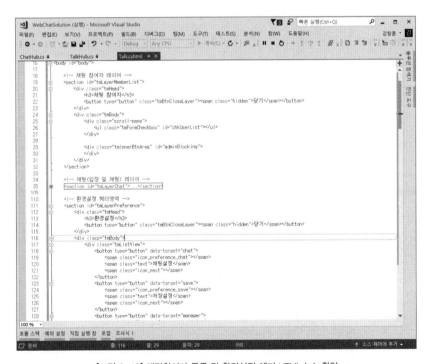

[그림 3-19] 채팅참여자 목록 및 환경설정 헤더 HTML소스 확인

2 채팅방 입장시 메뉴헤더영역이 보이게 관련코드를 추가합니다.

- 기존 스크립트 코드 영역 중 채팅방 입장처리 함수내에 채팅방 입장 서버 전송전송 코드 하단에 기존 입장 팝업 숨기기 코드는 주석처리 후 채팅 사용자 목록 환경설정 메뉴바 보이기 코드들을 아래와 같이 추가합니다.
- 해당 코드 추가 후 F5를 눌러 브라우저를 통해 정상적으로 메뉴바가 나타나는지 확인합니다.

[예제 - 대화방 입장 클라이언트 코드 구현]

```
// Client- Talk.cshtml(View)

//채팅방 입장처리
$("#tmBtnConfirmName").click(function () {

    var userName = $("#tmInputName").val();

    if (userName == "") {
    alert("대화명을 입력해주세요.");
    $("#tmInputName").focus();
    return false;
    }

    chatNickName = userName;

    $.connection.hub.start().done(function () {
        //사용자 대화방 입장정보 전송
        chat.server.entry(chatNickName);

        //$("#tmPopWrap").hide();

        //채팅 사용자 목록 및 환경설정 메뉴바 보이기 처리
        $("#tmPopWrap").fadeOut("slow");
        $("#tmBtnJoinChat").hide();
        $("#tmBtnCloseChat").show();
        $("#tmInfoBar, #tmNotification").show().css("top", "-50px").
        animate({ top: 0 }, 500);
        $("#tmInputMessage").prop("disabled", false).focus();
```

```
    });
});
```

[그림 3-20] 채팅 상단 메뉴바 영역 보여주기 확인

3 TalkHub 클래스 파일에 그룹 채팅방 입장 기능을 추가합니다.

- 다중 채팅 그룹을 생성하여 그룹내 사용자간 채팅을 할 수 있는 기능을 구현
  합니다.
- 채팅방 그룹명과 채팅아이디를 파라미터로 전달받습니다.
- TalkHub.cs 클래스 상단 using 참조영역에 아래 두개의 네임스페이스를
  추가합니다.

  using System.Threading.Tasks;
  using WebChatSystem.Models;

[예제 – 대화방 입장 서버코드 구현]

```
// Server - TalkHub.cs (Message Service)

//채팅 사용자 목록저장
private static List<ChatUserModel> _chatUserList = new
List<ChatUserModel>();

// <summary>
// 그룹 채팅방 입장
// </summary>
// <param name="groupName">채팅방명</param>
// <param name="userName">닉네임</param>
public Task EntryGroup(string groupName,string userName)
{
    Task ts = Groups.Add(Context.ConnectionId, groupName);
    string userIPAddress = Context.Request.GetHttpContext().Request.
    ServerVariables["Remote_ADDR"].ToString();

    ChatUserModel user = new ChatUserModel();
    user.ConnectionID = Context.ConnectionId;
    user.ChatRoomName = groupName;
    user.NickName = userName;
    user.ConnectedDate = DateTime.Now;
    user.IPAddress = userIPAddress;
    _chatUserList.Add(user);
    int userCnt = _chatUserList.Where(c => c.ChatRoomName == groupName).
    Count();

    string entryMsg1 = string.Format("{0}님으로 입장했습니다.", userName);
    Clients.Caller.entryGroupMessage(entryMsg1, userCnt);

    string entryMsg2 = string.Format("{0}님이 입장하셨습니다.", userName);
    Clients.OthersInGroup(groupName).entryGroupMessage(entryMsg2,
    userCnt);
    return ts;
}
```

- TalkHub.cs에서 사용되는 채팅사용자정보 모델, 채팅IP 차단(블로킹) 정보

모델 클래스등을 다음 모델 생성 안내에 따라 생성합니다.

4 채팅 사용자 정보를 저장하기 위해 채팅 사용자 정보 데이터 모델을 생성합니다.

- WebChatSystem 프로젝트내 Models 폴더에서 마우스 우클릭 후 추가 > 클래스를 선택합니다.
- 클래스명은 ChatUserModel.cs로 입력 후 추가합니다.
- 동일한 방식으로 BlockingUserInfo.cs와 ChatBlockingInfo.cs 모델 클래스를 추가합니다.

[그림 3-21] 채팅사용자 데이터 모델 생성

[예제 - 채팅사용자-IP차단정보 모델 구현]

```
using System;
using System.Collections.Generic;
using System.Linq;
using System.Web;
namespace WebChatSystem.Models
```

```csharp
{
    // <summary>
    // 채팅 사용자 데이터 모델
    // </summary>
    public class ChatUserModel
    {
        // <summary>
        // 채팅방명
        // </summary>
        public string ChatRoomName { get; set; }

        // <summary>
        // 커넥션아이디
        // </summary>
        public string ConnectionID { get; set; }

        // <summary>
        // 대화명
        // </summary>
        public string NickName { get; set; }

        // <summary>
        // 접속IP주소
        // </summary>
        public string IPAddress { get; set; }

        // <summary>
        // 연결일시
        // </summary>
        public DateTime ConnectedDate { get; set; }
    }
}
```

```csharp
//채팅 블로킹 사용자정보 모델
public class BlockingUserInfo
{
    public string RoomName { get; set; }
    public string NickName { get; set; }
```

```
    public string BlockingType { get; set; }

}
```

```
// <summary>
// 채팅 블로킹 정보 모델
// </summary>
public class ChatBlockingInfo
{
    public string RoomName { get; set; }
    public List<BlockingUserInfo> NickNames { get; set; }
}
```

5 채팅 그룹방 입장 처리 및 입장완료 메시지 수신 처리기를 등록합니다.

- 채팅 아이디 입력 후 버튼을 클릭하면 채팅 그룹방으로 접속하고 접속결과를 수신합니다.
- 기존 채팅방 입장처리 함수내에 사용자 대화방 입장처리 코드(chat.server. entry(chatNickName);)를 주석처리하고 그룹채팅방 입장 코드를 추가합니다.
- 그룹 채팅방 입장 완료 후 완료 메시지를 수신할 entryGroupMessage 함수의 기능을 아래와 같이 구현해줍니다.

[예제 - 채팅방 입장완료 클라이언트 코드 구현]

```
//채팅방 입장처리
$("#tmBtnConfirmName").click(function () {
......
    $.connection.hub.start().done(function () {
        //사용자 대화방 입장정보 전송
        //chat.server.entry(chatNickName);

        // 그룹채팅방 입장
        chat.server.entryGroup(groupName, chatNickName);
```

```
        //$("#tmPopWrap").hide();
        $("#tmPopWrap").fadeOut("slow");
        $("#tmBtnJoinChat").hide();
        $("#tmBtnCloseChat").show();
        $("#tmInfoBar, #tmNotification").show().css("top", "-50px").
        animate({ top: 0 }, 500);
        $("#tmInputMessage").prop("disabled", false).focus();
    });
    …..
});

//채팅 그룹방 입장 메시지처리
chat.client.entryGroupMessage = function (message, userCnt) {
        var html = '';
        html += '<p class="tmSystemMsg">';
        html += '<span class="tmMsg"><strong>' + message + '</strong></
        span>';
        html += '</p>';

        $("#tmMessageList .tmInner .jspPane").append(html);
        $("#tmChatTotalCnt").html(userCnt);
        jScrollPaneMessageListReInit();
}
```

[그림 3-22] 그룹채팅방 입장 및 채팅사용자 수 표시

6 좌측 접속자 사용자수 아이콘을 클릭하면 좌측에 채팅 접속자 목록을 조회하고 사용자 목록을 해당 영역에 표시하는 기능을 구현합니다.

- 서버측 TalkHub.cs 에서 채팅그룹명을 전달하면 그룹내 사용자 목록을 반환하는 CheckUserList 메소드를 구현합니다.
- 사용자 목록은 해당 메시지를 호출한 사용자의 getUserList 프록시메소드에 전달됩니다.
- 뷰에서는 채팅 참여자 수옆에 아이콘을 클릭하면 서버측 checkUserList 메소드를 호출하고 사용자 목록영역을 노출시켜줍니다.
- 서버측에서 호출된 chat.client.getUserList 함수로 사용자 목록이 전달되고 ChatUserListBind 함수를 통해 전달된 사용자목록을 체크박스 목록형태로 화면에 구성됩니다.

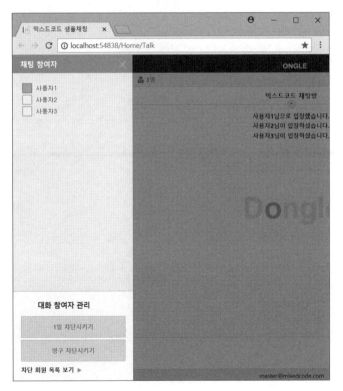

[그림 3-23] 채팅 사용자 목록 확인주기

[예제 – 채팅사용자목록 서버코드 구현]

```
// Server - TalkHub.cs (Message Service)
// <summary>
// 채팅방 접속자 목록 반환
// </summary>
// <param name="chatGroupName">채팅방명</param>
public void CheckUserList(string groupName)
{
    var users = _chatUserList.Where(c => c.ChatRoomName == groupName).
    ToList();
    Clients.Caller.getUserList(users);
}
```

[예제 – 채팅참여자목록 클라 구현]

```
// 채팅: 참여자목록 보기버튼 클릭 이벤트
$("#tmBtnMemberList").click(function () {
    //채팅 사용자 목록조회
    chat.server.checkUserList(groupName);
    $("#chkUserList").removeClass("tmNotLogin");
    $("#adminBlocking").show();
    fn_formCheckBox();
});

// 채팅사용자목록 조회결과 바인딩
chat.client.getUserList = function (users) {
    fn_ChatUserListBind(users);
    if (TM.isLogin == false) {
        fn_BlockingTagAdd();
    }
    TM.isLogin = true;
};

//아이피차단 버튼 추가
function fn_BlockingTagAdd() {
    var blockingForm = "";
    blockingForm += "<strong class=\"tmChatMemberManage\"><span></span>
    대화
    참여자 관리</strong>";
```

```
    blockingForm += "<button class=\"tmBtnBasicForm\" onclick=\"fn_
    Blocking('D');\">1일 차단시키기</button>";
    blockingForm += "<button class=\"tmBtnBasicForm\" onclick=\"fn_
    Blocking('P');\">영구 차단시키기</button>";
    blockingForm += "<a href=\"javascript:;\" class=\"tmLinkList\"
    onclick=\"alert('준비중 입니다.');\">차단 회원 목록 보기<span
    class=\"tmIconBlueArr\"></span></a>";

    $("#adminBlocking").append(blockingForm);
    TM.isLogin = true;
    $("#chkUserList").removeClass("tmNotLogin");
    $("#adminBlocking").show();
    fn_resizeFrame();
}
```

[예제 – 채팅사용자 목록조회 클라이언트 코드 구현]

```
// 채팅: 참여자목록 닫기버튼 클릭 이벤트
$("#tmLayerMemberList .tmBtnCloseLayer").click(function () {
    fn_closeMemberListLayer();
});

// 채팅사용자 목록조회 바인딩
function fn_ChatUserListBind(users) {
    $("#chkUserList").html("");
    var disableText = "";
    $.each(users, function (index, user) {
    // console.log(user.NickName);
    disableText = "";
    if (chatNickName == user.NickName) {
    disableText = "disabled";
    }
    $("#chkUserList").append("<li class='" + disableText + "'><a
    href='javascript:;'>" + user.NickName + "</a><input type='checkbox'
    name='chkUser' id='chkUser" + index.toString() + "' value='" + user.
    NickName + "' " + disableText + " /></li>");
    });
    // 목록 레이어 보여주기
    fn_openMemberListLayer();
```

```
}

// 채팅 참여자 목록 레이어 보기
function fn_openMemberListLayer() {
    var duration = 300;
    var distance = $("#tmLayerMemberList").outerWidth();

    $("#tmLayerMemberList").animate({ left: 0 }, duration, function () {
    TM.isOpenMemberList = true;
    });
    $("#tmLayerChat").css("right", "auto").animate({ left: distance },
    duration);
    $("#tmLayerMask").hide().fadeIn(duration);
}
```

[예제 - 채팅사용자 선택기능 클라이언트 코드 구현]

```
// 채팅 참여자 목록 레이어 닫기
function fn_closeMemberListLayer() {
    var duration = 300;
    var distance = -$("#tmLayerMemberList").outerWidth();

    $("#tmLayerMemberList").animate({ left: distance }, duration, function
    () {
    TM.isOpenMemberList = false;
    });
    $("#tmLayerChat").animate({ left: 0 }, duration);
    $("#tmLayerMask").fadeOut(duration);
}

// 체크박스 상태체크 및 이벤트처리
function fn_formCheckBox() {
    $(".tmFormCheckbox").on("click", "a", function (event) {
    var _this = $(this);
    var realCheckbox = _this.siblings("input[type=checkbox]");
    var isChecked = realCheckbox.prop("checked") == true ? true : false;
    var isDisabled = realCheckbox.attr("disabled") == "disabled" ? true
    : false;
    var isNotLogin = $(this).parents(".tmFormCheckbox").hasClass(".
```

```
      tmNotLogin");
      if (isNotLogin) return false;
      if (isDisabled) return false;
      if (isChecked) {
      realCheckbox.prop("checked", false);
      }
      else {
      realCheckbox.prop("checked", true);
      }
      realCheckbox.change();
      event.preventDefault();
});

// 체크박스 체인지 이벤트
$(".tmFormCheckbox").on("change", "input[type=checkbox]", function () {
      var _this = $(this);
      var isChecked = _this.prop("checked") == true ? true : false;
      if (isChecked) {_this.parent().addClass("active");}
      else {this.parent().removeClass("active");}
      });
      // 셀렉트박스: 데이타 바인딩 후 실행시켜주어야함.
      $(".tmFormCheckbox").find("input[type=checkbox]").change();
}
```

7 채팅 사용자 목록에서 특정 사용자를 선택하고 1일 차단/영구 차단 버튼을 클릭
하여 IP 차단 기능을 구현합니다.

- IP 차단 버튼을 클릭하면 관련 함수가 호출되고 채팅 서비스 ipBlocking 함
수를 호출합니다.

- 아이피 차단 강퇴 처리 후 강퇴 사실을 공지하고 대상 사용자의 화면은 채팅
기능이 모두 비활성화 처리됩니다.

- 강퇴 대상 사용자 화면에서는 메시지 입력 /전송 등의 주요 기능이 비활성
화 처리됩니다.

- TalkHub.cs 클래스 상단에 JsonConvert 사용을 위해 using Newtonsoft.
Json; 선언을 추가합니다.

[그림 3-24] 강퇴처리 결과

[예제 - 강퇴처리 클라이언트코드 구현]

```
Client - Talk.cshtml VIEW

// 아이피 차단
function fn_Blocking(blockingType) {
    if (confirm("강퇴처리 하시겠습니까?")) {
        var chkUser = $('input[name=chkUser]');
        var userList = null;

        $.each(chkUser, function (index, obj) {
        var checked = this.checked;
        if (checked == true) {
        if (userList == null) {
        userList = { "RoomName": groupName, "NickNames": [{ "RoomName":
```

```
        groupName, "NickName": this.value, "BlockingType": blockingType
    }] };
    } else {
    userList.NickNames.push({ "RoomName": groupName, "NickName": this.
    value, "BlockingType": blockingType });
    }
    }
    });

    // IP차단정보등록 및 강퇴처리
    chat.server.ipBlocking(JSON.stringify(userList));
    }
}
```

[예제 - 강퇴처리 클라이언트코드 구현]

```
//Server - TalkHub.cs

// 아이피 블로킹 및 강퇴처리
public void IpBlocking(string jsonUserList)
{
    ChatBlockingInfo blocking = JsonConvert.DeserializeObject<ChatBlockingI
    nfo>(jsonUserList);
    foreach (BlockingUserInfo u in blocking.NickNames)
    {
        //사용자 채팅 강퇴 아웃처리
        UserConnectionOut(u.RoomName, u.NickName, "님이 강퇴처리 되었습니다.");
    }
}


// 사용자 채팅 강퇴아웃
private void UserConnectionOut(string roomName, string nickName, string
msg)
{
    ChatUserModel user = _chatUserList.Where(c => c.ChatRoomName ==
    roomName && c.NickName == nickName).FirstOrDefault();
    if (user != null)
    {
```

```
    //사용자목록에서 삭제
    _chatUserList.Remove(user);
    //퇴장메시지 발송
    Clients.Group(user.ChatRoomName).goodByDeny(user.NickName + msg, _
    chatUserList.Where(c => c.ChatRoomName == user.ChatRoomName).
    Count());
    //그룹에서 사용자 삭제
    Groups.Remove(user.ConnectionID, user.ChatRoomName);
  }
}
```

8 사용자의 채팅방 퇴장 기능을 구현하도록 하겠습니다.

- 상단 메뉴바 우측의 나가기 버튼을 클릭하면 채팅방을 나가는 기능을 구현
  합니다.
- 그룹 채팅방을 퇴장한 이후에는 퇴장 메시지가 본인 및 다른 사용자에게 출
  력되며 퇴장한 당사자는 재 입장할 수 있게 팝업창이 다시 제공됩니다.

[그림 3-25] 사용자 정상 퇴장화면

[예제 – 채팅 퇴장 클라이언트 코드 구현]

```
//Client - Talk.cshtml VIEW
// 채팅: 나가기 버튼 클릭 이벤트
$("#tmBtnCloseChat").click(function () {
    if (confirm("채팅방을 퇴장하시겠습니까?")) {
        var userName = $("#tmInputName").val();
        var duration = 500;
        $("#tmInfoBar, #tmNotification").show().animate({ top: -80 },
        duration,
        function () {
            $(this).hide();
            $("#tmPopWrap").fadeIn(duration);
        });
        $("#tmInputMessage").prop("disabled", true);
        $("#tmSendMessage").prop("disabled", true);
        chat.server.chatExit();// 채팅방 나가기
        chatStatus = false;
        var html = '';
        html += '<p class="tmSystemMsg">';
        html += '<span class="tmMsg">대화방을  퇴장했습니다.</span>';
        html += '</p>';
        $("#tmMessageList .tmInner .jspPane").append(html);
        jScrollPaneMessageListReInit();
    }
});


// 사용자 퇴장 메시지
chat.client.goodByMsg = function (message, userCnt) {
    var html = '';
    html += '<p class="tmSystemMsg">';
    html += '<span class="tmMsg"><strong>' + message + '</strong></
    span>';
    html += '</p>';
    $("#tmMessageList .tmInner .jspPane").append(html);
    jScrollPaneMessageListReInit();
    $("#tmChatTotalCnt").html(userCnt);
};
```

[예제 - 채팅 퇴장 서버 코드 구현]

```
//Server - TalkHub.cs

// 퇴장하기
public void ChatExit()
{
    UserConnectionOut();
}


// <summary>
// 사용자 채팅 아웃
// </summary>
private void UserConnectionOut()
{
    ChatUserModel user = _chatUserList.Where(c => c.ConnectionID ==
    Context.ConnectionId).FirstOrDefault();
    if (user != null)
    {
        //사용자목록에서 삭제
        _chatUserList.Remove(user);

        //퇴장메시지 발송
        Clients.OthersInGroup(user.ChatRoomName).goodByMsg(user.
        NickName+ " 님이 퇴장하셨습니다.", _chatUserList.Where(c =>
        c.ChatRoomName == user.ChatRoomName).Count());

        //그룹에서 사용자 삭제
        Groups.Remove(Context.ConnectionId, user.ChatRoomName);
    }
}
```

9 채팅 서비스 연결과 끊김/재연결 이벤트 처리를 위해 주요 기능을 재정의합니다.

[예제 - 채팅연결관리 이벤트 처리 서버 코드 구현]

```
Server - TalkHub.cs
// <summary>
// 사용자 커넥션 발생시
```

```csharp
// </summary>
// <returns></returns>
public override Task OnConnected()
{
    return base.OnConnected();
}


// <summary>
// 사용자 연결이 끊어질때(브라우저 닫기/탭닫기)
// </summary>
// <returns></returns>
public override Task OnDisconnected(bool stopCalled)
{
    var user = _chatUserList.Where(c => c.ConnectionID == Context.
    ConnectionId).FirstOrDefault();
    UserConnectionOut(user.ChatRoomName, user.NickName, " 님이 퇴장하셨습니
    다.");
    return base.OnDisconnected(stopCalled);
}

// <summary>
// 사용자 재연결 발생시
// </summary>
// <returns></returns>
public override Task OnReconnected()
{
    return base.OnReconnected();
}
```

3.3 웹 채팅 기능 구현3 – DB 데이터 연동

개발된 기본 웹 채팅 기능에 Azure 클라우드 SQL 데이터베이스 PaaS 서비스와
ADO.NET Entity ORM Framework을 활용해 채팅방 입장 사용자의 정보 및 IP
기반 채팅사용자 차단기능을 DB 기반으로 구현해 보도록 하겠습니다.

Azure 클라우드 기반 SQL 데이터베이스 서비스 신청을 위해서는 5.1 클라우드 기반 서비스 내용을 선행학습 하신 후 5.1.2 Azure 클라우드 무료 서비스 신청 내용을 참고해 Azure 무료 사용자 계정을 생성 후 다음 내용을 진행합니다.

1 Azure 포털 사이트에서 마이크로소프트 계정으로 로그인합니다.

- Azure 무료 사용자 계정의 24만원 상당의 크레딧을 이용해 좌측 메뉴의 SQL 데이터베이스 서비스를 클릭해 해당 서비스 신청을 진행합니다.

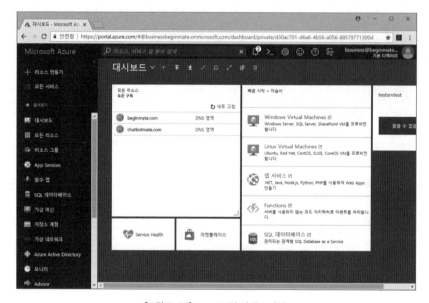

[그림 3-26] Azure 포털 사이트 메인

2 SQL 데이터베이스 목록 화면을 확인합니다.

- 신규 Database 생성을 위해 상단 추가 버튼 또는 하단 SQL Database 만들기를 클릭합니다.

[그림 3-27] AZURE SQL 데이터서비스 목록

3 신규 데이터베이스 주요 정보를 입력합니다.

- 데이터베이스명 및 리소스 그룹명을 입력합니다.

[그림 3-28] Azure SQL 데이터베이스 생성1

4 서버 필수 설정구성을 클릭해 연결서버명 SQL인증 사용자 ID와 암호값을 입력합니다.

- 해당 서버이름의 주소와 로그인 아이디/암호는 SQL 서버 접속 및 사용자 인증 시 반드시 필요한 정보이므로 반드시 필요하며 위치는 해당 DB가 생성되는 물리적 데이터센터 위치입니다.

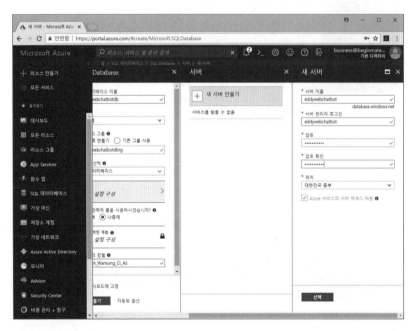

[그림 3-29] Azure SQL 데이터베이스 연결정보

5 정상적인 한글 유니코드 텍스트 지원을 위해 데이터정렬 항목값을 아래와 같이 지정합니다.

- Korean_Wansung_CI_AS으로 입력 후 만들기 버튼을 클릭합니다.

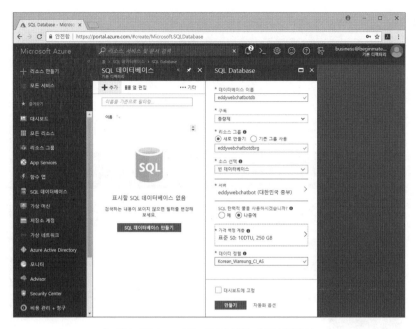

[그림 3-30] Azure SQL 데이터베이스 데이터정렬옵션

6 정상적으로 DB가 생성되면 SQL 데이터베이스 목록에 해당 DB가 나타납니다.

- DB목록에서 생성된 DB를 선택하고 상세페이지로 이동합니다.

[그림 3-31] Azure SQL 데이터베이스 목록

7 선택 Database의 개요정보를 확인합니다.

- 서버이름은 DB서버 연결 주소 도메인이며 전체적인 개요정보를 확인합니다.

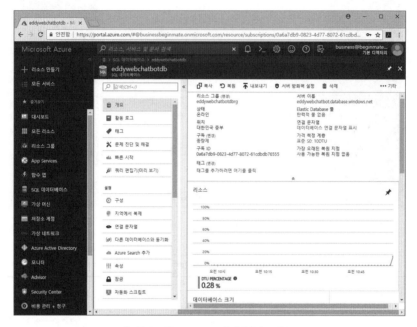

[그림 3-32] Azure SQL 데이터베이스 개요

8 개요메뉴의 서버방화벽 설정 상단 메뉴를 클릭해 방화벽 설정기능을 추가합니다.

- 접근하는 Application 또는 SSMS(SQL Server Management Studio) Client의 아이피 대역폭을 등록하여 DB 서버 외부에서 접속이 가능하게 관련 IP 대역폭을 등록합니다.

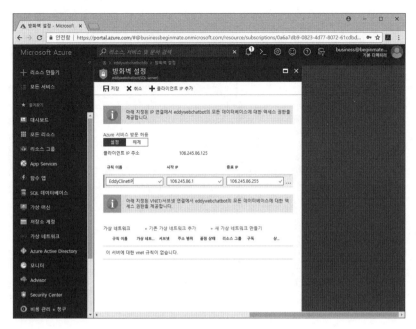

[그림3-33] Azure SQL 데이터베이스 방화벽 설정

9 쿼리 편집기 메뉴를 클릭합니다.

- 로그인 상단 메뉴를 클릭해 생성 시 입력한 아이디/암호를 입력 후 확인버튼을 클릭합니다.
- 로그인 후 Azure 포털에서 각종 쿼리를 통해 테이블 관리 및 데이터 관리작업을 할 수 있습니다.

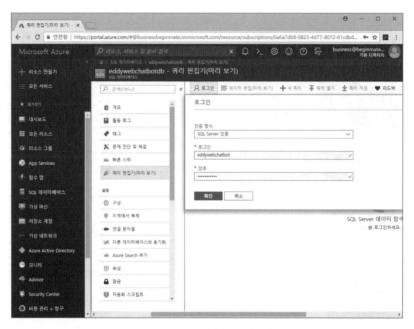

[그림 3-34] Azure SQL 데이터베이스 쿼리편집기 로그인

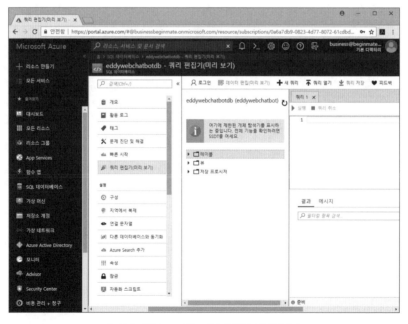

[그림 3-35] Azure SQL 데이터베이스 쿼리편집기

10 연결문자열 메뉴정보를 확인합니다.

- ADO.NET 기반 DB 연결 문자열 정보 포맷을 확인합니다.

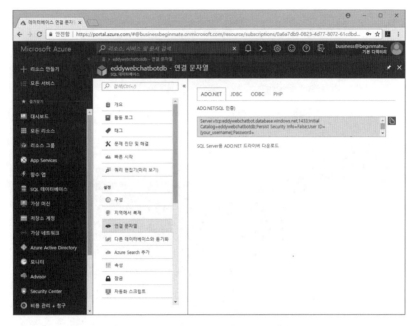

[그림 3-36] Azure SQL 데이터베이스 연결문자열

11 SSMS(SQL Server Management Studio)를 통해 Azure SQL 데이터베이스에 접속해봅니다.

- 개발자 컴퓨터에 설치해둔 SSMS를 이용해 Azure SQL 데이터베이스에 관련 주소, 인증 정보를 이용해 접속을 시도합니다
- 개발자 컴퓨터에 SSMS나 SQL Express 무료버전 설치하는 방법은 5.3.5 [Microsoft SQL Server 2014 DB구축]을 참고하기 바랍니다.

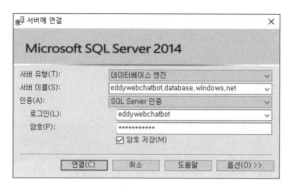

[그림 3-37] SSMS Azure SQL 데이터베이스 연결하기

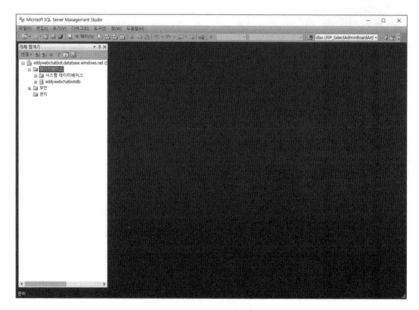

[그림 3-38] SSMS Azure SQL 데이터베이스 연결완료

12 SSMS에서 SQL 쿼리를 이용해 채팅참여사용자 정보를 저장할 ChatUserMaster 테이블 생성합니다.

- SSMS의 상단의 새쿼리 아이콘을 클릭하여 쿼리창을 오픈 후 아래 테이블 생성 쿼리를 작성하고 테스트 데이터를 입력 후 관련 테이블 정보를 조회 쿼

리 작성 후 상단 실행버튼 아이콘을 클릭해 쿼리를 실행시킵니다.

- 하단 25번 항목에서는 테이블 생성 시 Visual Studio내 SQL서버 탐색기를 이용해 비주얼 모드로 생성하는 부분을 소개하고 있으니 쿼리가 익숙하지 않으면 25번 글을 참조해 테이블을 생성하기 바랍니다.

[그림 3-39] SSMS Azure SQL DB 테이블 생성 및 조회

13 웹프로젝트에서 마우스 우클릭 > 새폴더 > Data 폴더를 추가합니다.

- ADO.NET Entity Framework(ORM) 기능을 이용해 쉽게 DB 프로그래밍 하는 환경구축을 진행합니다.
- Data폴더에서 마우스 우클릭 > 추가 > 새항목을 클릭합니다.
- 새항목 추가 팝업창의 데이터 노드를 클릭 후 ADO.NET 엔티티 데이터 모델 템플릿을 선택 후 "EddyWebChatbotDBModel" 입력 후 추가버튼을 클릭합니다.

[그림 3-40] EF ORM 생성하기1

14 데이터베이스의 EF Designer를 클릭해 Database First방식으로 ORM관련 파일을 생성합니다.

[그림 3-41] EF ORM Database First 방식 선택

15 새 연결 버튼을 클릭해 Azure 데이터베이스 서비스와 연결을 위한 정보를 세팅합니다.

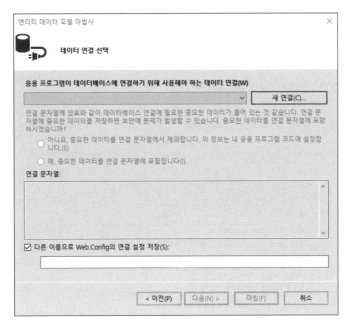

[그림 3-42] EF ORM Database 새연결

16 데이터 소스를 Microsoft SQL Server로 선택 후 계속을 클릭합니다.

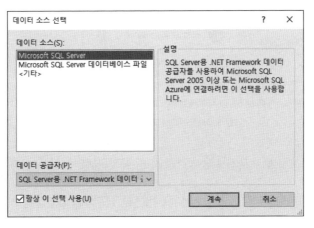

[그림 3-43] EF ORM 데이터소스 선택하기

17 Azure 데이터베이스 연결정보를 입력합니다.

- 연결주소를 입력하고 인증방식은 SQL Server 인증선택 후 관련 아이디/암호를 입력합니다.
- 암호저장 체크 후 데이터베이스를 선택 하고 연결테스트 버튼을 클릭합니다.
- 테스트 성공 시 확인 버튼을 클릭합니다.

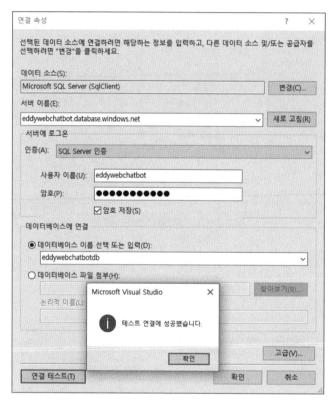

[그림 3-44] EF ORM 데이터소스 연결 테스트

18 DB연결 정보를 웹프로젝트의 Web.config에 저장할 수 있게 설정합니다.

- 반드시 아래와 같이 하단 라디오 버튼을 클릭해 DB연결정보를 웹 채팅 프

116

로젝트의 web.config 파일에 저장하여 Application과 ORM에서 사용할
수 있게 합니다.

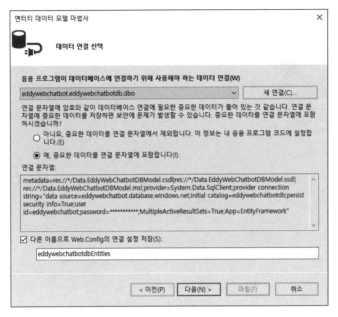

[그림 3-45] EF ORM 데이터소스 연결정보 저장

⓳ Entity Framework 버전을 6.x로 선택 후 다음을 클릭합니다.

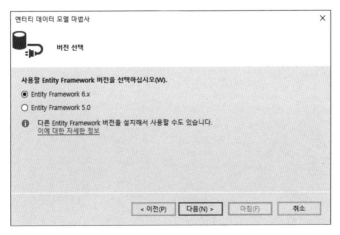

[그림 3-46] EF ORM 버전 선택

20 ORM에 포함시킬 테이블과 관련 DB 오브젝트를 선택합니다.

[그림 3-47] EF ORM DB오브젝트 선택

21 선택한 DB오브젝트가 ORM파일에 추가된 것을 확인합니다.

- EF ORM 파일(~.edmx)이 생성되면 해당 파일 하위에 테이블과 맵핑되는 데이터모델 클래스가 자동으로 생성되며 Data 처리를 위한 자동화 편리기 능이 다수 제공됩니다.

118

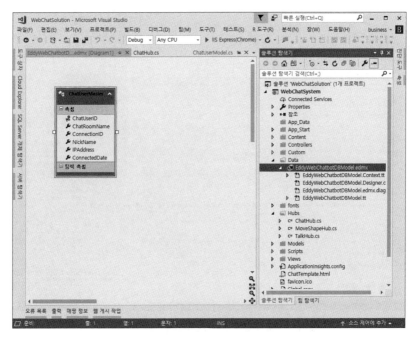

[그림 3-48] EF ORM EDMX 파일

22 ORM파일이 추가된 후 Web.config 파일에 추가된 DB연결 문자열 정보를 확인
합니다.

● 채팅 애플리케이션에서 DB연결정보를 변경 시 하단정보를 수정합니다.

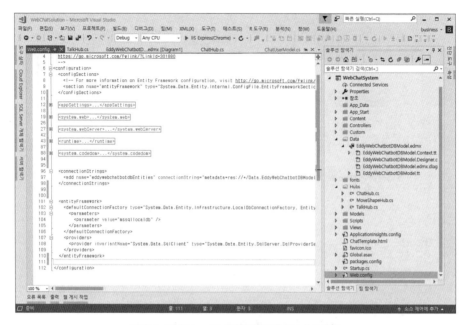

[그림 3-49] Web.config DB연결문자열 정보 추가 확인

23 설정된 ORM정보를 이용해 TalkHub.cs 파일에 ORM 프로그래밍 관련 객체를 정의합니다.

- 상단 참조영역에 using WebChatSystem.Data;를 참조 추가합니다.
- 상단에 EF DB Context클래스의 인스턴스 객체인 db를 정의합니다.

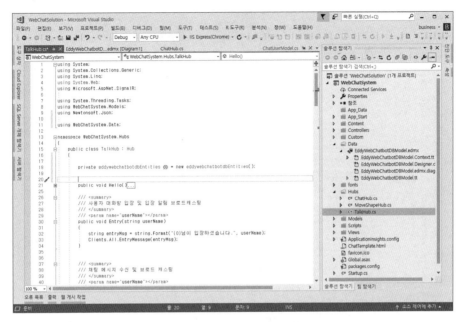

[그림 3-50] TalkHub.cs ORM기능 추가

24 TalkHub.cs 클래스내 채팅사용자 모델을 ORM 모델 클래스로 모두 변경합니다.

- 기존 채팅사용자 모델 클래스인 "ChatUserModel" 클래스를 DB ORM 클래스인 "ChatUserMaster"로 아래와 같이 모두 변경합니다.
- 채팅 참여자 정보를 그룹채팅방 입장 메소드에서 ORM DB 입력 처리합니다.

```
46
47
48
49
50     //채팅 사용자 목록저장
51     private static List<ChatUserMaster> _chatUserList = new List<ChatUserMaster>();
52
53     /// <summary>
54     /// 그룹 채팅방 입장
55     /// </summary>
56     /// <param name="groupName">채팅방명</param>
57     /// <param name="userName">닉네임</param>
58     public Task EntryGroup(string groupName, string userName)
59     {
60         Task ts = Groups.Add(Context.ConnectionId, groupName);
61
62         string userIPAddress = Context.Request.GetHttpContext().Request.ServerVariables["Remote_ADDR"].ToString();
63
64         ChatUserMaster userData = new ChatUserMaster();
65         userData.ConnectionID = Context.ConnectionId;
66         userData.ChatRoomName = groupName;
67         userData.NickName = userName;
68         userData.ConnectedDate = DateTime.Now;
69         userData.IPAddress = userIPAddress;
70         userData.ConnectedDate = DateTime.Now;
71
72         db.ChatUserMaster.Add(userData);
73         db.SaveChanges();
74
75         _chatUserList.Add(userData);
76
77         int userCnt = _chatUserList.Where(c => c.ChatRoomName == groupName).Count();
78
79         string entryMsg1 = string.Format("{0}님으로 입장했습니다.", userName);
80         Clients.Caller.entryGroupMessage(entryMsg1, userCnt);
81
82         string entryMsg2 = string.Format("{0}님이 입장하셨습니다.", userName);
```

[그림 3-51] 채팅사용자 입장정보 DB저장

[그림 3-52] 채팅사용자 입장처리 디버깅 및 테스트

122

[그림 3-53] 채팅사용자 입장 데이터 확인

25 이번엔 IP 기반 채팅 차단 기능 DB처리를 위해 신규 테이블을 만들 때 SSMS를 사용하지 않고 Visual Studio의 SQL Server 객체 탐색기(보기메뉴 하단에 메뉴 존재)를 이용해 테이블을 생성하고 관리하는 방법을 소개합니다.

- Visual Studio의 상단 맨 우측에 닫기 버튼 아래 하단 그림의 B아이콘 또는 business로 아이콘을 클릭하면 Visual Studio를 Microsoft 계정으로 로그 인할 수 있는 기능을 제공합니다.

- 해당 계정 로그인을 Azure 무료계정 메일주소로 로그인 되어 있는지 확인 하고 로그인 안되어 있으면 해당 계정으로 Visual Studio를 로그인합니다.

- Visual Studio 상단메뉴 보기 > SQL Server 객체 탐색기를 클릭하면 좌측 영역에 탐색기가 나타나며 로그인한 마이크로소프트 계정의 Azure 데이터 베이스 노드가 표시됩니다.

- 관련 Database를(eddywebchatbotdb) 선택하고 테이블 노드를 확장시킨 후 테이블에서 마우스 우클릭 > 새테이블 추가를 클릭합니다.

- 아래와 같이 스크립트 영역의 테이블명을 "Table"에서 "ChattingBlocking"로 변경하고 상단 영역에서 관련 컬럼들을 추가하고 데이터 타입을 설정합니다.
- "ChattingBlocking" 테이블의 PrimaryKey컬럼인 "BlockingIDX"를 선택하고 오른쪽 속성 탭을 오픈 후 ID 사양노드를 확장해 사용여부를 True로 설정해 ID값을 설정해줍니다.
- 관련 테이블 설정을 아래와 같이 모드 세팅했다면 설계된 정보를 Azure SQL데이터베이스에 반영하기 위해 화면중간의 업데이트 버튼을 클릭해 DB서버에 관련정보를 반영합니다.

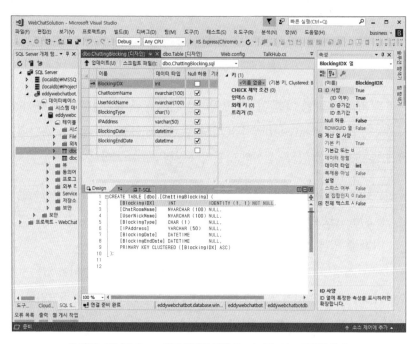

[그림 3-54] SQLServer 객체 탐색기 기반 ChattingBlocking 테이블 추가

26 데이터베이스에 업데이트를 클릭해 Azure DB에 테이블을 생성합니다.

124

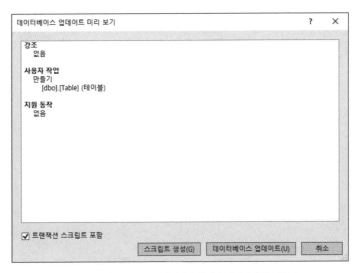

[그림 3-55] SQLServer 객체탐색기 기반 데이터베이스 반영

27 새로 생성한 테이블을 ORM에 반영하기 위한 후속작업을 진행합니다.

- 솔루션 탐색기내 Data폴더내 EddyWebChatbotDBModel.edmx 파일을 클릭해 오픈합니다.
- 오픈된 ORM파일에서 마우스 우클릭 > 데이터베이스에서 모델 업데이트 메뉴를 클릭합니다.
- 업데이트 마법사의 테이블 노드에서 신규 추가된 테이블 "ChattingBlocking" 을 선택합니다.
- 마침 버튼을 클릭 후 해당 테이블이 ORM파일에 추가된 것을 확인후 상단 메뉴 빌드메뉴 > 솔루션 다시 빌드를 클릭합니다.
- 정상적으로 빌드가 완료되면 신규 추가한 테이블의 ORM반영이 완료된 것 입니다.

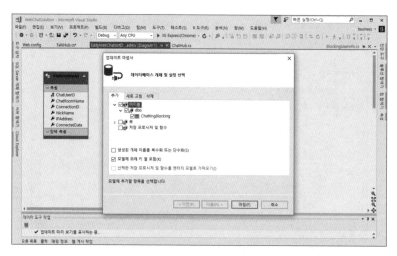

[그림 3-56] 신규 생성 테이블 ORM반영

28 채팅 그룹방 입장 시 IP차단 사용자 인지 IP를 이용해 체크하는 로직을 구현합니다.

- 사용자 접속 IP주소와 접속 채팅방 정보를 이용해 Database에 등록된 IP차단 사용자인지 체크 후 대상이면 서비스 거부 메시지를 반환합니다.

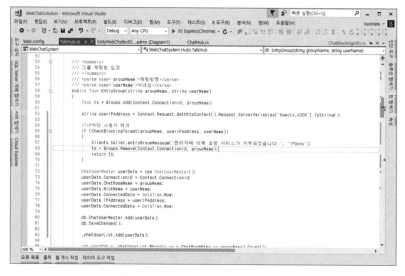

[그림 3-57] IP 차단 대상 체크 로직 추가

29 IP차단 사용자 체크 메소드를 구현합니다.

- C# LINQ 문법을 통해 DB에 ORM LINQ쿼리를 실행해 전달된 사용자 정
  보가 차단 대상인지 체크하는 로직을 구현합니다.

[그림 3-58] IP차단 대상 체크 로직

30 관리자가 IP차단 사용자 목록을 클릭 후 차단을 실행하면 관련 사용자정보의 IP
차단 기능을 DB 테이블에 저장하는 로직을 기존 로직에 아래와 같이 추가합
니다.

```
// 아이피 블로킹 및 강퇴처리
public void IpBlocking(string jsonUserList)
{
    ChatBlockingInfo blocking = JsonConvert.DeserializeObject<ChatBlockingInfo>(jsonUserList);
    foreach (BlockingUserInfo user in blocking.NickNames)
    {
        ChatUserMaster chatUser = null;
        chatUser = _chatUserList.Where(c => c.ChatRoomName == user.RoomName && c.NickName == user.NickName).FirstOrDefault();
        if (chatUser != null)
        {
            //IP차단정보 저장
            ChattingBlocking blockingData = new ChattingBlocking();
            blockingData.BlockingDate = DateTime.Now;
            blockingData.BlockingEndDate = user.BlockingType == "D" ? DateTime.Now.AddDays(1) : DateTime.Now.AddMonths(1);
            blockingData.ChatRoomName = chatUser.ChatRoomName;
            blockingData.IPAddress = chatUser.IPAddress;
            blockingData.UserNickName = chatUser.NickName;
            blockingData.BlockingType = user.BlockingType;
            db.ChattingBlocking.Add(blockingData);
            db.SaveChanges();

            //사용자 채팅 강퇴아웃처리
            UserConnectionOut(user.RoomName, user.NickName, "님이 강퇴처리 되었습니다.");
        }
    }
}


// 사용자 채팅 강퇴아웃
private void UserConnectionOut(string roomName, string nickName, string msg)
{
    ChatUserMaster user = _chatUserList.Where(c => c.ChatRoomName == roomName && c.NickName == nickName).FirstOrDefault();
```

[그림 3-59] IP차단 정보 DB처리

31 디버깅 모드를 실행시켜 채팅방에 입장 후 특정 사용자를 IP블로킹 처리합니다.

- 블록킹 처리된 사용자가 다시 동일채팅방에 접속 시 IP차단되는지 확인합니다.

[그림 3-60] IP차단기능 디버깅 및 테스트

32 SSMS에서 IP가 차단된 사용자 목록을 확인합니다.

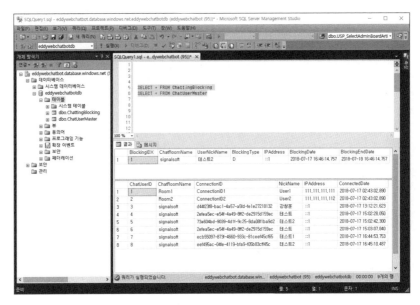

[그림 3-61] IP차단 정보 조회확인

CHAPTER

4

챗봇 서비스 개발

4.1 Microsoft Bot Framework

챗봇 개발에 앞서 챗봇이 무엇인지부터 알아보고 본격적인 기술내용을 다루어 보도록 하겠습니다.

Q1. 챗봇이 무엇일까요?

일반적인 챗봇은 정해진 응답 규칙을 바탕으로 채팅앱 또는 메신저를 통해 대화형으로 사용자를 응대할 수 있도록 구현된 시스템을 말합니다. 홈쇼핑, 인터넷 쇼핑몰, 보험사, 은행, 음식배달, 숙박, 레스토랑 예약 등에서 소비자 질문응대 및 상품 추천/구매, 예약업무 등을 돕는 대화형으로 사용자를 도와주는 다양한 역할을 제공합니다.

Q2. 챗봇은 어떻게 개발하고 서비스 될까요?

챗봇은 일반적으로 특정 비즈니스나 제공 서비스와 관련된 고객 응대 시나리오를 사전에 정의하고 정의된 시나리오별로 고객의 요청 의도를 파악하여 적절한 응답을 다양한 디바이스의 대화형 채널(채팅앱)에 텍스트 및 이미지, 카드, 슬라이드카드, 음성, 비디오등 다양한 응답포맷으로 OPEN API 방식으로 개발되어 웹 기반에서 서비스되어집니다.

Q3. 보다 스마트한 챗봇은 어떻게 개발할까요?

스마트 챗봇은 다양한 고객의 기본적인 서비스 시나리오 기반에서 클라우드의 각종 인공지능 알고리즘을 쉽게 활용할 수 있는 이미지 분석, 이미지 텍스트 인식, 얼굴인식, 자연어 처리 기반 대화 의도 파악, 음성인식, 통-번역, 빅데이터 기반 의사 결정 지원 등 각종 인지 서비스를 챗봇에 연동하여 인공지능기반 스마트 챗봇으로 서비스 및 기능을 쉽게 확장할 수 있습니다.

Q4. 챗봇은 주로 어떤분야에 적용될 수 있을까요?

챗봇 적용이 손쉽고 적합한 업종으로는 예약, 주문 및 배달, 만족도, 설문조사, 양식작성 등 서비스 시나리오가 분명한 업종에 최적화되어 있으며 보유중인 데이터를 기반으로 대화형으로 사용자에게 각종 정보를 제공하거나 사용자로부터 정보를 수집하는 다양한 업종에 적합합니다. 인공지능 자연어 처리기능을 적용하거나 이미지분석, 음성인식, 통번역 기능을 활용하면 보다 복잡하고 다양한 서비스 시나리오까지 대응이 가능합니다.

4.1.1 Microsoft Bot Framework

Microsoft Bot Framework

Bot Framework는 강력하고 인텔리전트 한 봇을 구축하고 연결하며 테스트, 배포가 가능한 마이크로소프트사의 소프트웨어 기반 봇 개발 프레임워크입니다.

.NET, Node.js 개발환경에서 C#, Javascript 언어를 기본적으로 지원하며 REST 서비스 환경을 지원하여 각종 개발언어를 포괄적으로 지원합니다.

C#과 Node.js 언어기반 Bot Builder SDK와 Azure Bot Service를 사용하여 봇을 빠르게 시작할 수 있습니다.

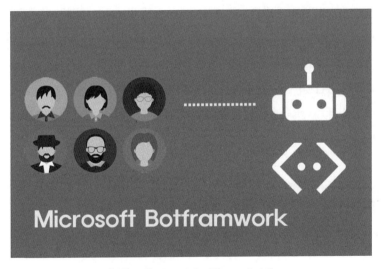

[그림 4-1] Microsoft Bot Framework 소개

다음은 Bot Framework에 대한 개발 가이드 링크정보입니다.

https://dev.botframework.com/

https://docs.microsoft.com/en-us/bot-framework/

마이크로소프트에서 소개하는 Bot Framework는 위에서 이야기한 것처럼 강력하고 똑똑한 채팅, 음성 기반의 챗봇을 빠르게 구축할 수 있는 개발, 테스트,배포환경을 통합적으로 제공하는 개발프레임워크 입니다.

기본적으로 지원되는 개발환경 및 언어로는 .NET(C#), Node.js(Javascript)이며 개발된 챗봇 서비스는 RESTFul방식의 Open API 방식으로 서비스되고 있습니다.

.NET 환경을 이용하는 경우 WPF, Winform, UWP(Windows 10전용 APP), Xamarin NativeApp(IOS, Android, UWP..), ASP.NET WebApplication등 각종 UI Application 기반에서 쉽고 빠르게 텍스트 또는 음성기반의 스마트한 챗봇 개발 및 연동이 가능합니다.

Web 기반에서의 챗봇 개발은 Bot Framework에서 REST 방식(OPEN API 방식)으로 챗봇과의 통신 인터페이스를 개발할 수 있는 환경을 제공해주므로 웹 기반에서 실시간 메시징(RealTime WEB) 기술을 제공해주는 인프라(NODE.JS, ASP.NET SignalR, 각종 HTML5 WebSocket 지원환경)환경에서도 쉽게 챗봇 서비스를 연결할 수 있으며 챗팅 웹 컨트롤까지 무료로 제공하고 있어 일반적인 웹 사이트에서도 쉽게 웹 채팅 구현 및 챗봇 연결이 가능합니다.

Bot Framework의 Bot에 대한 개념 소개

사용자가 대화 방식으로 상호 작용하는 앱으로 봇을 생각해보십시오.

봇은 텍스트, 카드 또는 음성으로 대화를 나눌 수 있습니다.

봇은 FAQ와 같은 기본 질의응답 패턴 매칭처럼 단순할 수도 있고, 복잡한 대화 상태 추적과 기존 비즈니스 서비스와의 통합을 통해 인공 지능 기법의 정교한 조합이 될 수도 있습니다.

Bot Framework를 사용하면 사용자와의 다양한 유형의 상호 작용을 지원하는 봇을 작성할 수 있습니다. 봇의 대화를 자연스러운 대화방식(자연어 수준)으로도 설계할 수 있습니다.

여러분의 봇은 사용자 선택이나 행동을 제공하는것과 같이 수많은 상호 작용을 할 수도 있습니다. 대화에는 간단한 텍스트 문자열이나 이미지 및 작업단추(버튼, 링크)가 포함된 복잡한 리치카드를 사용할 수 있습니다. 또한 자연 언어 기반 상호 작용기능을 추가하여 사용자가 자연스러운 표현 방법으로 봇과 상호 작용할 수 있게 할 수도 있습니다.

음식점, 미용실 예약 일정을 잡는 봇의 예를 아래 시나리오와 실제 앱 화면을 보면서 살펴보겠습니다.

봇은 사용자의 의도를 파악하고, 작업버튼을 사용하여 서비스 가능한 일정목록 표시하고, 일정을 사용자가 선택했을 때 사용자가 선택한 정보를 표시한 다음 약속의 세부 사항이 포함된 축소된 카드를 보냅니다.

상기 첨부 그림은 미용실(챗봇)과 고객간 대화형으로 스케줄을 조정하고 예약을 확정하는 시나리오를 보여주고 있습니다.

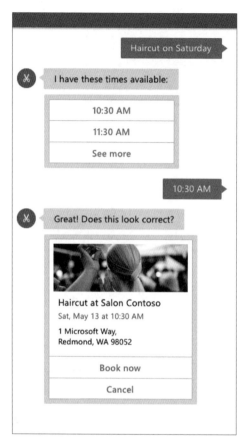

[그림 4-2] 미용실 예약 챗봇 예시

봇은 급속하게 디지털 경험의 중요한 부분이 되어가고 있습니다. 사용자가 서비스 또는 응용 프로그램과 상호 작용할 수 있도록 웹 사이트 또는 모바일 경험만큼 필수적인 요소가 되고 있습니다

개발자들에게는 새로운 도전의 시기가 이미 시작되었습니다. 현재 스마트폰의 대부분의 앱이 조만간(1~3년내) 챗봇기반의 앱으로 대체될거라는 전망하고 있습니다.

즉 이는 기존의 앱들이 인공지능과 대화형 기반의 챗봇으로 대체된다는것을 의미하며 단순 앱개발기술이 아닌 자연어처리, 인공지능, 음성지원, 머신러닝등 다양한 인공지능기술들이 보다 보편적이고 현실적으로 개발환경 및 서비스에 접목되는 시점이 도래했다는 것을 의미합니다.

본 도서에서 다루는 챗봇 프로젝트의 챗봇이란 용어는 단순 문자 메시지 기반의 챗봇이 아닌 텍스트, 카드형, 리치카드형, 음성기반의 사용자와의 다양한 상호 대화 방식을 지원하는 봇을 의미하는 것으로 챗봇으로 그 개념을 정리하도록 하겠습니다.

Bot Framework를 사용해야하는 이유

봇을 쓰는 개발자는 모두 동일한 문제에 직면합니다. 봇은 기본 채팅 I/O(Input/Output) 및 UX를 필요로하며, 각종 언어사용자와의 대화 기술이 필요하며 사용자가 선호하는 대화 경험과 언어로 사용자와 연결해야 합니다. Microsoft Bot Framework는 이러한 문제를 해결하는 데 도움이 되는 강력한 도구와 지원기능들을 제공합니다

봇빌더: Bot Builder(BOT SDK) Ver 3.0

챗봇(텍스트, 카드, 음성)을 쉽고 빠르게 만들 수 있도록 Bot Framework에는 .NET 및 Node.js 플랫폼 용의 풍부하고 완전한 기능을 갖춘 SDK(Software Development Toolkit)를 제공하는 Bot Builder가 포함되어 있습니다.

SDK는 봇과 사용자 간의 상호 작용을 훨씬 단순하게 만드는 기능을 제공합니다. 봇빌더는 또한 봇을 디버깅 할 수 있는 에뮬레이터와 빌딩 블록으로 사용할 수 있는 샘플 봇을 개발 템플릿으로 제공합니다.

Azure Bot Service & Bot Channel Registration

Azure 클라우드 기반에서 개발된 챗봇 서비스를 보다 쉽게 서비스하고 관리할 수 있게 Azure에서는Azure Bot Service를 제공하고 있으며 Bot Channel Registration 서비스등을 이용해 개발된 챗봇을 등록하여 각종 채널들과의 연결 및 관리할 수 있는 편리한 기능들을 제공합니다.

또한 웹 페이지에 봇을 삽입하는 데 사용할 수 있는 진단 도구 및 웹 채팅 컨트롤을 제공합니다.

웹 채팅 컨트롤 제공기능은 웹에서도 채팅 UI를 개발하지 않아도 쉽게 챗봇 기능을 서비스하거나 테스트할 수 있는 유용한 기능입니다.

채널: Channel

Bot Framework는 봇과 사람을 연결하기 위한 글로벌하게 사용되는 다양하고 인기 있는 커뮤니케이션 채널(메신저, SNS 메신저)을 지원합니다.

직접적인 채팅앱(웹) 인터페이스가 아닌 전통적이고 일반적인 커뮤니케이션 수단인 이메일, SMS와 각종 SNS인 페북, 스카이프, 슬랙, 카카오톡과 같은 다양한 통신채널과 챗봇을 연결하여 대화형 서비스를 제공할 수 있습니다.

스마트한 챗봇을 만들기 위한 지원서비스 제공

보다 스마트한 봇을 만들기 위해 Microsoft Cognitive Services(인지 서비스)를 활용하면 자연 언어 이해, 이미지 인식, 음성 등의 스마트하고 인텔리전스한 기능을 여러분의 챗봇에 추가할 수 있습니다.

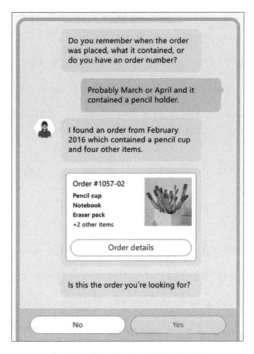

[그림 4-3] 쇼핑몰 상품 판매 챗봇 예시

챗봇과 Bot Framework 요약

Bot Framework 기반에서 챗봇을 개발하고 서비스할 수 있는 환경에 대해 정리해 보겠습니다.

.NET 및 Node.js 기술 기반에서 직접 Bot Framework를 이용해 개발하여 Azure를 통해 서비스하거나 Azure Bot Service를 이용해 REST기반으로 Azure 상에서

바로 구축한 챗봇 API 서비스와 기존SNS매체, NativeApp, WebSite에서 실시간으로 통신하여 채팅하는 방식을 지원합니다.

챗봇 서비스 관련 주체

■ **채팅 채널 클라이언트 환경: 메신저 앱(NativeApp 또는 웹 채팅 Application,웹 채팅컨트롤)**

- 각종 SNS APP(페이스북 메신저, Skype, 슬랙, 밴드) 및 SmartPhone 채팅 App, 웹 채팅사이트(동글동글, 웹 채팅컨트롤), 모든 Application, 이메일, SMS등과 같이 챗봇과 상호 인터액션할 수 있는 사용자가 이용하는 각종 Application을 말합니다.
- 사용자 채팅 UX 및 Interaction 환경 제공

■ **챗봇 서비스 서버 환경**

- 사용자 채팅 채널과 실시간 응대하는 OPEN API 메시징 서비스.
- 챗봇에게 필요한 각종 데이터 및 정보제공과 관련된 각종 인프라 환경 제공
- 비즈니스 시나리오 구현 및 사용자와 상호작용할 수 있는 다양한 데이터 포맷 제공
- Cognitive Services(인지 서비스)를 등을 통한 인공지능 활용가능

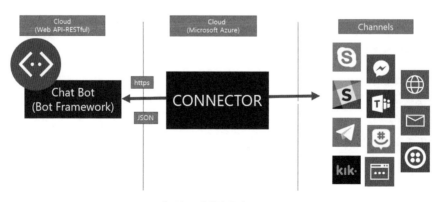

[그림 4-4] 챗봇 통신 구조도

챗봇 개발 및 서비스 방식

Bot Framework 기반에서 챗봇을 개발하고 서비스하는 방식은 크게 네 가지로 아래와 같이 나뉩니다. 본인과 팀, 회사에 적합한 개발방식 및 개발언어, 플랫폼따라 아래 개발방식중 하나를 선택하여 개발을 진행하면 좋습니다.

■ .NET 기반에서 개발하는 방식

- Visual Studio 2017 개발툴과 .NET개발언어(C#) 기반에서 .NET용 Bot Builder SDK를 이용해 챗봇서비스를 개발하는경우
- .NET Framework 4.6 이상 환경에서 개발툴로 Visual Studio 2017 설치

■ Node.js 기반에서 개발하는 방식

- Node.js개발환경에서 Node.js 용 Bot Builder SDK를 설치해 챗봇 서비스를을 개발하는 경우
- Node.js 용 Bot Builder SDK는 npm 패키지로 제공되며npm명령어를 통해 설치가 가능합니다.
- Node.js 용 Bot Builder SDK는 웹 서비스 구축을 위한 인기 프레임워크인 Express & Restify 기반에서 Javascript 언어로 웹 서버 기반 REST 챗봇 API 서비스를 개발합니다.

■ Azure Bot Service 기반 개발 및 서비스 방식

- Microsoft Public Cloud 서비스인 Azure에서 제공해주는 Azure Bot Service를 이용해 개발하는 방식
- Azure Bot Service는 봇 개발을 목적으로 만들어진 클라우드 통합 환경을 제공하여 지능형 로봇을 한 곳에서 구축, 연결, 테스트, 배치 및 관리할 수 있습니다.

- Azure 편집기를 사용하여 C# 또는 Node.js 언어 기반에서 챗봇을 개발할 수 있습니다.
- 서비스 또한 Azure 클라우드 기반에서 통합서비스되어집니다.

■ REST 기반의 OPEN API 개발방식

- Bot Framework REST API를 사용하여 모든 프로그래밍 언어로 개발된 각종 APP과 통신가능
- Bot Framework는 아래 세 가지 REST API를 제공합니다.
  ○ Bot Connector REST API: Bot Framework Portal에서 구성된 채널에 메시지를 보내고받을 수 있습니다.
  ○ Bot State REST API: Bot Connector REST API를 통해 수행되는 대화와 관련된 상태를 저장하고 검색할 수 있습니다.
  ○ Direct REST API: 클라이언트 응용 프로그램, 웹 채팅 컨트롤 또는 모바일 응용 프로그램과 같은 자신의 응용 프로그램을 단일 봇에 직접 연결할 수 있습니다.

챗봇 개발을 위한 Microsoft Bot Framework에 대한 전반적인 내용에 대해 살펴보았습니다.

다음장에서는 .NET 개발환경에서 심플한 챗봇을 하나 개발해보고 점진적으로 개발방식 및 서비스 방식도 확대해 하나씩 알아가 보도록 하겠습니다.

4.1.2 Bot Framework 개발환경 구축

이번장에서는 Microsoft의 강력한 챗봇개발 프레임워크인 Bot Framework를 기반으로 Visual Studio 2017 개발툴과 Visual C# 언어를 이용해 여러분 개발 PC에서 개발하고 Microsoft의 Public Cloud 서비스인 Azure(애저) 클라우드에 챗봇 응용

프로그램(App)을 배포하여 서비스합니다.

지금부터 챗봇 개발 및 서비스 환경 구성방법 및 기초적인 챗봇 개발 및 에뮬레이터 사용법 등을 알아보겠습니다.

1 Visual Studio 2017 Community(무료) 개발툴 설치하기

- 다운로드링크: https://www.visualstudio.com/ko/ 링크이동합니다.
- 다운로드 사이트에서 Windows용다운로드 버튼 클릭 > Community 클릭 다운로드 후 설치진행합니다.
- Visual Studio 2017 Community(무료)버전 다운로드하여 설치합니다.

[그림 4-5] Visual Studio 홈페이지

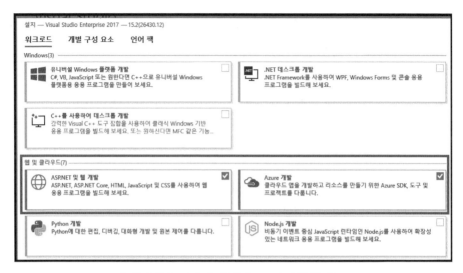

[그림 4-6] Visual Studio 2017 Community 설치 워크로드

- 설치시 반드시 워크로드 부분에서 설치 항목들 중 웹 및 클라우드 하위 항목 중 ASP.NET 및 웹 개발과 Azure 개발 두가지 항목의 우측에 있는 체크박스를 반드시 체크 후 설치를 진행해주세요.

- 상기 항목 체크없이 설치하면 Azure Bot 서비스를 Visual Studio로 개발이 불가합니다.

- 물론 추후 윈도우 메뉴 중 Visual Studio Installer를 통해 추가 및 재 설치도 가능합니다.

2 Bot Builder Template for Visual Studio 다운로드 설치

- Bot Framework 개발정보 제공 사이트
  https://dev.botframework.com/

- 봇빌더를 이용한 봇만들기 소개 페이지
  https://docs.microsoft.com/en-us/azure/bot-service/?view=azure-bot-service-3.0

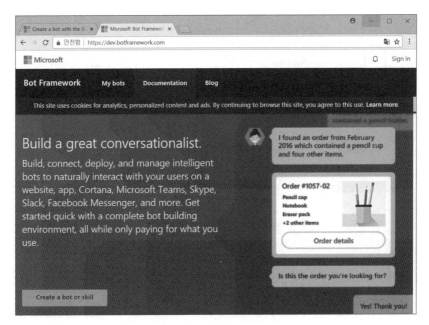

[그림 4-7] Bot Framework 홈페이지

- Visual Studio는 챗봇 개발을 손쉽게 시작할 수 있도록 챗봇 애플리케이션 개발 템플릿을 설치파일 형태로 제공하고 있으며 아래 링크에서 다운받아 설치합니다.

- 프로젝트 템플릿 설치를 위해 Bot Builder Template for Visual Studio 다운로드 설치

  https://marketplace.visualstudio.com/items?itemName=BotBuilder. BotBuilderV3

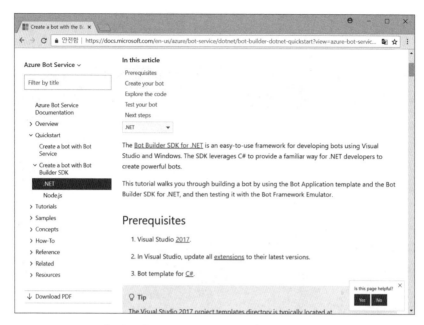

[그림 4-8] Bot Framework Document 〉Quickstart〉.NET

- Bot Controller 아이템 템플릿 압축파일을 다운받아 압축을 풀지말고 압축
  파일 채 아래 경로에 저장합니다.

  http://aka.ms/bf-bc-vscontrollertemplate

- C:\Users\현재사용자계정\Documents\Visual Studio 2017\Templates
  \ItemTemplates\Visual C#\

- Bot Dialog 개발 아이템 템틀릿 압축파일을 다운받아 압축을 풀지말고 압
  축파일 채 아래 경로에 저장합니다.

  http://aka.ms/bf-bc-vsdialogtemplate

- C:\Users\현재사용자계정\Documents\Visual Studio 2017\Templates
  \ItemTemplates\Visual C#\

3 챗봇 에뮬레이터 설치하기

- 개발자 컴퓨터에서 챗봇을 개발하고 테스트하기 위한 에뮬레이터 프로그램

을 다운로드 받아 설치합니다.

- 다운로드: https://github.com/Microsoft/BotFramework-Emulator/releases
- 다운로드 페이지에서 최신버전 에뮬레이터 인 botframework-emulator-setup-4.0.14-alpha.exe을 다운받아 설치합니다.
- 설치 중 윈도우 방화벽 관련 팝업창이 나타나면 액세스허용을 반드시 클릭합니다.

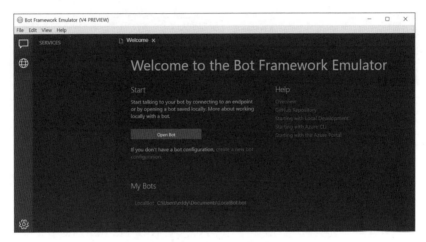

[그림 4-9] 챗봇 에뮬레이터

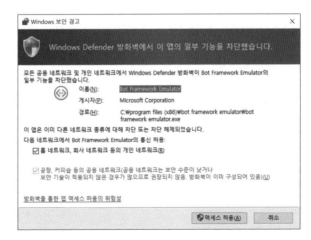

[그림 4-10] 챗봇 에뮬레이터 설치 방화벽 액세스 허용

4 개발준비가 모두 완료되었으면 Visual Studio 2017를 시작합니다.

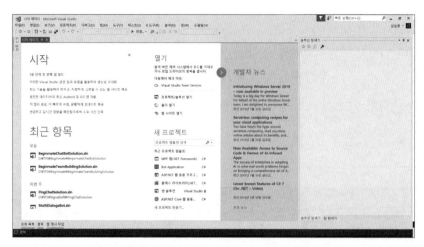

[그림 4-11] Visual Studio 2017 Community 실행

5 상단 파일메뉴 > 새로 만들기 > 프로젝트를 클릭하여 솔루션을 구성합니다.

- 새프로젝트 팝업 좌측트리메뉴 > 기타 프로젝트형식 > Visual Studio 솔루션을 클릭합니다.

- 화면중간 빈솔루션을 클릭 후 상단/하단에 .NET Framework 선택 콤보박스가 있으면 .Net Framework4.6을 선택합니다.

- 하단 솔루션이름란에 MyChatBotSolution이라고 입력합니다.

- 솔루션 폴더가 생성될 위치는 찾아보기 버튼을 클릭하여 C:\로 지정합니다.

- 확인 버튼을 클릭하여 C:\MyChatBotSolution 경로에 솔루션 폴더를 생성을 완료합니다.

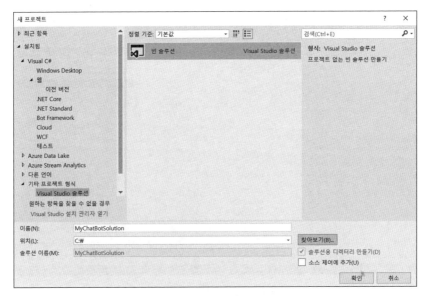

[그림 4-12] 빈솔루션 만들기

Visual Studio Solution 및 솔루션 파일(솔루션명.sln)

- Visual Studio는 솔루션내 다양한 종류의 프로젝트를 구성하여 하나의 솔루션 개발구조를 관리합니다.
- 솔루션 폴더로 하위에 솔루션명.sln 파일을 생성해 솔루션 내 다양한 프로젝트 폴더 및 파일을 통합 관리합니다.
- 기존 생성한 솔루션을 오픈하고 싶으면 윈도우 탐색기의 해당 솔루션 폴더 내 .sln 파일을 클릭해 오픈하면 솔루션을 한번에 오픈할 수 있습니다.

6 화면 우측 솔루션 탐색기에 여러분이 만드신 솔루션명이 보입니다.

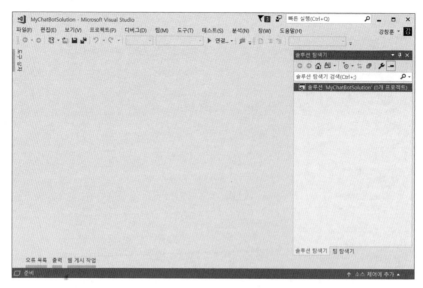

[그림 4-13] 솔루션 탐색기 확인

7 솔루션 탐색기의 솔루션명에 마우스 우클릭 > 추가 > 새프로젝트를 클릭하여 신규 프로젝트를 생성합니다.

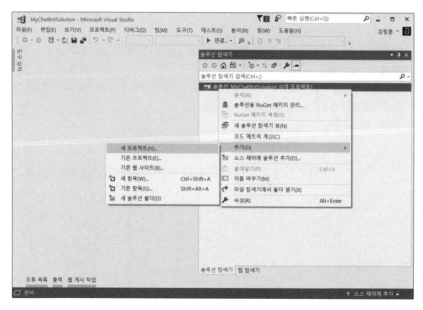

[그림 4-14] 새프로젝트 추가

150

8 챗봇 애플리케이션 프로젝트를 생성합니다.

- 좌측 설치됨 > VisualC# > 웹 > Bot Framework 노드를 클릭합니다.
- 중간영역에 Bot Builder Eco Bot 프로젝트 템플릿을 선택합니다.
- 개발 프레임워크를 .NET Framework 4.6 이상으로 선택합니다.
- 하단 프로젝트 이름에 "ChatBotApplication" 이라고 입력하고 솔루션폴더 위치를 확인 후 확인버튼을 클릭합니다.

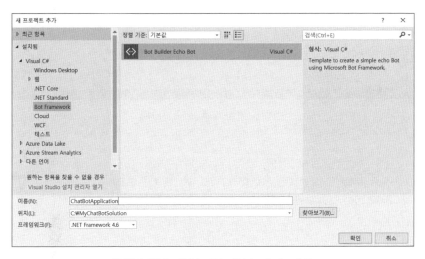

[그림 4-15] Bot Builder Echo Bot Application 추가

9 솔루션 탐색기를 열어 Bot Application 개발 템플릿을 이용해 자동으로 개발 템플릿이 생성된 것을 확인합니다.

- F5 또는 Visual Studio 상단메뉴 디버그 > 디버깅 시작을 클릭하여 챗봇 애플리케이션 디버깅을 실시해봅니다.
- 정상적인 경우 아래와같이 웹 사이트가 자동으로 브라우저에 표시되는것을 확인할 수 있습니다.

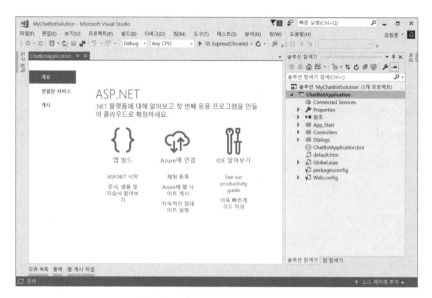

[그림 4-16] Bot Application 생성완료

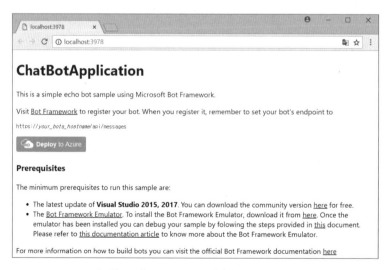

[그림 4-17] Bot Application 디버깅 브라우저 확인

152

10 디버깅 브라우저를 닫고 Visual Studio 2017로 돌아와 상단중간 빨간색네모 단추를 클릭하여 디버깅을 종료합니다.

11 챗봇 에뮬레이터를 이용한 테스트

- 기존에 설치한 채팅 에뮬레이터를 이용해 ChatBotApplication 프로젝트의 디버깅 테스트를 진행해보겠습니다.
- F5를 클릭하여 다시 챗봇 애플리케이션을 디버깅모드로 실행합니다.
- 챗봇 애플리케이션이 디버깅모드인 상태에서 바탕화면에 존재하는 채팅에 뮬레이터를 클릭합니다.
- 브라우저에 나타난 챗봇 OPEN API 로컬 호출 주소인 http://localhost: 3978/api/messages를 확인하고 주소를 복사합니다.
- 챗봇 에뮬레이터의 좌측 메뉴중 채팅박스모양의 BotExplorer 탭을 선택하고 Welcome 탭의 가운데 부분에 있는 create new bot configuration 텍스트를 클릭합니다.

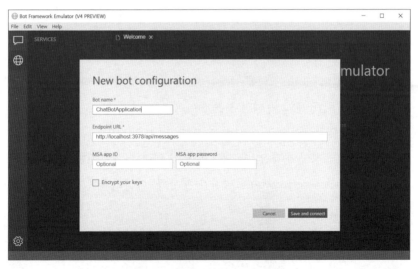

[그림 4-18] 에뮬레이터 봇 주소정보 설정하기

- BotName에는 임의의 챗봇 이름을 영문으로 입력하고 Endpoint URL에는 위에서 복사한 챗봇 OPEN API 로컬 호출 주소 인 http://localhost:3978/api/messages 주소를 붙여넣은 후 Save and connect 버튼을 클릭합니다.
- 등록한 챗봇 설정정보를 저장할 위치를 챗봇 솔루션 폴더내로 지정하고 저장합니다.

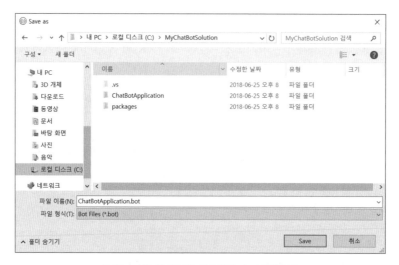

[그림 4-19] 에뮬레이터 설정파일(~.bot) 저장하기

- 좌측 Bot Exploer 영역에 등록한 EndPoint 주소가 나타나며 해당 주소를 클릭하면 별도 탭으로 해당 챗봇 OPEN API를 대상으로 테스트 및 디버깅을 할 수 있는 채팅클라이언트 UX 화면이 나타납니다.
- 에뮬레이터 하단 문자 입력란에 텍스트를 입력 후 엔터치면 "You sent 하이 which was 2 characters" 글자가 챗봇 웹 애플리케이션으로부터 답변이 나옵니다.

챗봇 로컬주소의 포트번호는 개발자 컴퓨터마다 다를수 있으니 본인 브라우저의 포트를 확인 후 에뮬레이터에 정확한 주소를 입력해주세요.

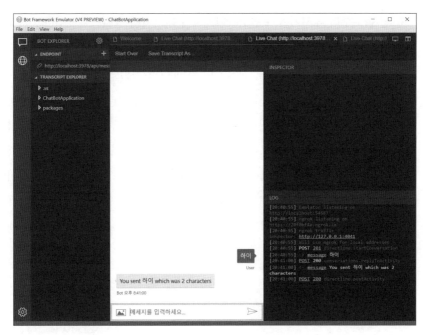

[그림 4-20] 에뮬레이터 챗봇 연결 테스트하기

12 브라우저를 다고 Visual Studio의 디버깅을 종료하고 간단히 챗봇 프로젝트의 개발소스를 확인해보겠습니다.

- ChatBotApplication 프로젝트의 Controllers 폴더를 확장하고 Messages Controller.cs 파일을 클릭합니다.

- MessagesController.cs 파일은 ASP.NET WEB API ApiController 클래스를 상속받아 구현된 OPEN API 컨트롤러 클래스입니다.

- 현대적인 대부분의 챗봇서비스는 다양한 시스템/애플리케이션과의 연결을 위해 OPEN API 방식으로 웹상에서 서비스 되기 때문에 Bot Framework 기반 챗봇 서비스 또한 웹 기반 RESTFul 방식으로 OPEN API 형태로 개발되고 서비스됩니다.

- Post메소드의 await Conversation.SendAsync(activity, () => new Dialogs.RootDialog()); 코드를 보면 POST 방식으로 어딘가(채널=채팅메

신저)로부터 메시지가 오면 RootDialog 대화처리 클래스로 activity 객체를
전달합니다.

- Conversation 클래스는 채봇의 대화(Dialog객체) 흐름을 다양한 Dialog
  클래스들을 통해 제어합니다.

- 간단한 챗봇 시나리오 같은경우는 하나의 Dialog(특정주제에 대한 대화를
  다루는 개별대화) 객체로 대화 흐름이나 시나리오 처리가 가능하지만 쇼핑
  몰/주문/결제/배송 등 복잡한 대화 시나리오의 경우 대화 주제별로 다이얼
  로그 객체를 만들어 주제별 대화처리 및 시나리오를 분리하여 관리를 용이
  케합니다. 다양한 다이얼로그간 이동을 제어하기 위해 Conversation 객체
  가 이용됩니다.

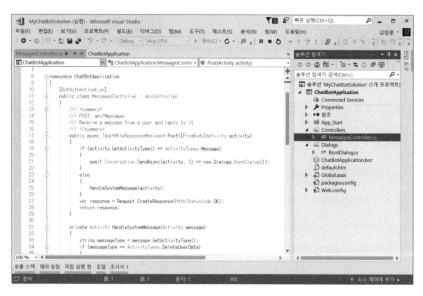

[그림 4-21] Messages Controller 확인하기

- Dialog 폴더아래 RootDialog.cs 파일을 클릭합니다.
- RootDialog.cs 파일내 StartAsync 메소드가 실행되고 MessageReceived
  Async() 메소드에서 에뮬레이터에서 Activity 객체에 담긴 메시지가 전달

되어 메시지길이를 체크해 문자를 다시 에뮬레이터(채널)에게 전달하는 코드를 확인할 수 있습니다.

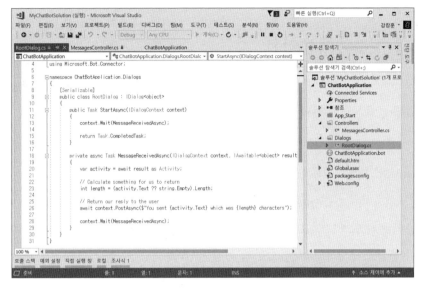

[그림 4-22] Root Dialog 파일 확인하기

13 챗봇 주요 객체 설명

- Conversation 클래스: 개별 대화(Dialog)흐름을 제어합니다.
- Activity 클래스: 사용자(채널)/챗봇 상호간에 발생되고 전달되는 행위정보
  (메시지,카드,데이터,이미지,동영상..)저장 및 전달 객체
- Dialog 클래스: 개별 대화주제별 주요 시나리오 구현 클래스
  - context.Wait(MessageReceivedAsync); //채널로부터 다음메시지를
    받을 메소드를 정의하고 대기합니다.
  - context.PostAsync($"You sent {activity.Text} which was {length}
    characters"); //메시지를 (에뮬레이터)채널(채팅메신저)에게 발송합
    니다.

기초적인 챗봇 서비스 개발환경 구축 및 에뮬레이터를 이용한 테스트를 진행해보았습니다.

4.1.3 챗봇의 핵심 컨셉

Bot Framework의 핵심 개념을 이해하면 사용자가 필요로하는 기능을 제공하는 봇을 만드는 데 도움이 됩니다.

Channel: 채널

채널은 Bot Framework와 Skype, Slack, Facebook Messenger, Office 365 메일 등의 통신 앱과의 연결을 말합니다. 개발자 포털을 사용하여 봇을 사용할 수 있게 할 각 채널을 구성하고 Skype 및 웹 채팅 채널(웹 채팅컨트롤)은 자동으로 사전 구성됩니다.

Bot Connector: 봇 커넥터

봇 커넥터 서비스는 봇을 하나 이상의 채널에 연결하고 둘 사이의 메시지 교환을 처리합니다.

Azure 클라우드 서비스 중 Azure Bot Service & Bot Channel Registration를 통해 개발된 챗봇을 등록하면 봇이 각 채널의 스키마에 대한 특정 메시지를 수동으로 설계하지 않고도 많은 채널을 통해 통신 할 수 있도록합니다.

Activity: 활동 객체

봇 커넥터는 활동 객체를 사용하여 봇과 채널간에 정보를 교환합니다.

순차적으로 진행되는 채널과 챗봇과의 모든 의사 소통은 다양한 유형의 활동으로 인식합니다.

Message: 메시지 객체

메시지는 가장 일반적인 유형의 액티비티입니다.

메시지는 텍스트 문자열처럼 간단 할 수도 있고 첨부 파일, 상호 작용 요소 및 리치 카드를 포함 할 수도 있습니다.

예를 들어 사용자의 연락처 목록에 봇을 추가하면 봇이 "감사합니다!"라는 문자열이 포함 된 메시지로 응답 할 수 있습니다.

Dialog: 대화상자 객체

대화 상자는 봇의 논리를 구성하고 대화 흐름을 관리하는 데 사용됩니다.

대화 상자는 Hierarchical 한 스택 구조를 가질수 있으며 스택의 상단 대화 상자는 닫히거나 다른 대화 상자가 호출 될 때까지 모든 들어오는 메시지를 처리합니다.

각각의 대화 주제별로 대화상자 클래스를 정의하고 다이얼로그간 대화 흐름 및 메시지를 분리하여 관리할 수 있습니다.

Rich cards: 리치 카드

리치 카드는 제목, 설명, 링크 및 이미지로 구성됩니다.

- 메시지에는 목록 형식 또는 회전식 형식으로 표시되는 여러 개의 리치 카드가 포함될 수 있습니다.
- Bot Framework는 다양한 형식의 풍부한 카드를 지원합니다.

- 적응형 카드: 텍스트, 음성, 이미지, 단추 및 입력 필드의 조합을 포함 할 수 있는 카드입니다.

- 애니메이션 카드: 애니메이션 GIF 또는 짧은 비디오를 재생할 수 있는 카드입니다.

- 오디오 카드: 오디오 파일을 재생할 수 있는 카드입니다

- 히어로 카드: 일반적으로 하나의 큰 이미지, 하나 이상의 단추 및 텍스트가 들어있는 카드입니다.

- 축소판 카드: 일반적으로 단일 축소판 이미지, 하나 이상의 단추 및 텍스트가 들어있는 카드입니다.

- 영수증 카드: 봇이 사용자에게 영수증을 제공할 수 있게 해주는 카드. 일반적으로 영수증, 세금 및 총 정보 및 기타 텍스트에 포함할 항목의 목록을 포함합니다.

- SignIn 카드: 사용자가 로그인하도록 요청할 수 있는 카드입니다. 여기에는 일반적으로 사용자가 로그인 프로세스를 시작하기 위해 클릭할 수 있는 텍스트 및 하나 이상의 단추가 포함됩니다.

- 비디오 카드: 비디오를 재생할 수 있는 카드입니다.

테스트 및 디버그

Bot Framework Emulator는 개발자가 봇을 테스트하고 디버깅 할 수 있게 해주는 데스크톱 응용 프로그램입니다.

에뮬레이터는 로컬 호스트에서 실행중인 봇과 통신하거나 터널을 통해 원격으로 통신 할 수 있습니다.

봇과 채팅 할 때 에뮬레이터는 웹 채팅 UI에 표시되는 메시지를 표시하고 나중에 평가할 수 있도록 JSON 요청 및 응답을 기록합니다

클라우드에 배포

Azure 클라우드에 손쉽게 개발된 봇을 호스팅 할 수 있습니다.

.NET 용 Bot Builder SDK를 사용하여 봇을 제작하면 Visual Studio에서 직접 배포할 수 있습니다. git 저장소 나 GitHub에서 지속적으로 통합 된 봇을 배치 할 수도 있습니다.

봇 등록: Bot Channel Registration

봇 개발을 완료하면 Azure Bot Service의 Bot Channel Registration 서비스를 통해 채널 구성, 자격 증명 관리, Azure App Insights에 연결 또는 웹 내장 코드 생성과 같은 많은 봇 관리 및 연결 작업을 수행할 수 있는 대시 보드 인터페이스를 제공합니다. Bot Channel Registration 서비스에 봇을 등록하면 인증에 사용되는 고유한 자격 증명이 생성됩니다.

채널에 연결

개발자 포털을 사용하여 대상 채널에 채널 구성 정보를 제공할 수 있습니다.

많은 채널은 봇에서 채널에 대한 계정이 있어야합니다. 일부는 또한 신청서가 필요합니다.

봇을 검색 가능하게 만들려면 Bing 채널에 연결하십시오.

사용자는 Bing 검색을 사용하여 봇을 찾은 다음 지원하도록 구성된 채널을 사용하여 봇과 상호 작용할 수 있습니다.

모든 로봇을 발견할 수 있는 것은 아닙니다.

예를 들어 회사 직원이 개인적으로 사용하도록 설계 한 봇은 Bing을 통해 일반적으로 사용할 수 없도록 설정해야합니다.

보다 똑똑한 봇 만들기

Microsoft인지 서비스 API를 연결하여 봇을 향상시키십시오.

스마트 대화식 로봇은 자연스럽게 반응하고 말한 명령을 이해하며 사용자의 데이터 검색을 안내하고 사용자 위치를 결정하며 심지어 사용자가 의도한 바를 해석하려는 사용자의 의도를 인식합니다.

Microsoft사의 Bot Framework 사이트에서 소개하고 있는 봇의 작동원리와 주요 개념들에 대해 정리해보았습니다.

이전장에서 한번 코드를 보았던 터라 대략적인 작동원리와 핵심개념들에 대해서는 어렴풋이 개념을 잡으셨을거라 판단되며 이제 다음장부터는 본격적인 코딩을 하나 씩 진행해보도록 하겠습니다.

https://docs.microsoft.com/en-us/bot-framework/overview-how-bot-framework-works

https://docs.microsoft.com/en-us/bot-framework/cognitive-services-bot-intelligence-overview

다음장에서는 개발된 심플 챗봇 서비스를 Azure 클라우드에 배포하고 서비스하는 방법을 알아보겠습니다.

4.1.4 챗봇 Azure 배포 및 서비스

이번장에서는 간단히 만든 심플 챗봇서비스를 어떻게 Azure 클라우드에 배포하고 서비스하며 Azure Bot Service기능을 사용하는지에 대해 알아가보도록 하겠습니다.

Azure (무료)계정을 통해 Azure 포털 사이트에 로그인을 합니다.

1 Azure Bot Service 신청하기

- Azure 포털 좌측 메뉴에 모든 서비스 메뉴를 클릭합니다.
- 모든 서비스 상단 필터검색란에 Bot Service라고 입력하고 조회하거나 하
  단에 AI+MachineLearning 카테고리로 이동하여 Bot Service를 선택합
  니다.

[그림 4-23] Azure Bot Service 메뉴

2 중간 Bot Services 만들기 또는 상단 추가하기 메뉴를 클릭합니다.

[그림 4-24] Bot Service 만들기

3 Web App Bot 서비스를 선택합니다.

● 봇 서비스를 개발하고 배포할 수 있는 방법은 크게 Azure Web App 서비스 방식과 Azure Fuction 서비스 방식을 통해 가능합니다.

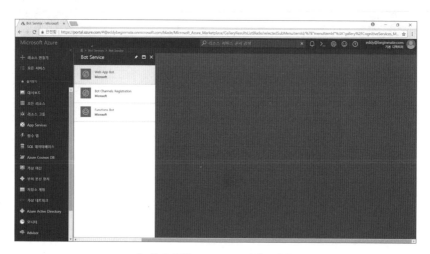

[그림 4-25] Web App Bot 서비스 선택

4 Web App Bot 하단에 만들기 버튼을 클릭합니다.

- 봇이름: 고유한 여러분만의 봇이름을 입력합니다.

- 구독: 무료체험 또는 유료구독 선택

- 리소스그룹: 처음 사용자는 새로 만들기(봇이름+'RG'), 기존 리소스그룹 재
  사용시 기존리소스 선택

- 위치: Azure 데이터 센터 Region선택(Korea Centeral=서울 또는 Korea
  South=부산)

- 가격책정계층: S1

- 앱이름: 봇이름.azurewebsites.net: 앱서비스 도메인 주소

- 봇템플릿:C#

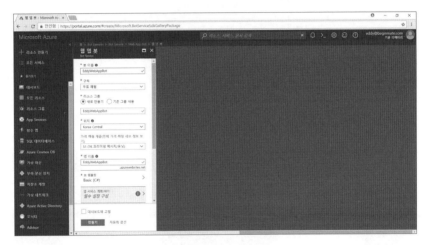

[그림 4-26] Web App Bot 만들기

- 앱서비스 계획/위치: 클릭 후 새로 생성 > 앱서비스 계획이름(봇이름
  +'Plan'), 위치:데이터센터 Region 선택 후 확인버튼 클릭합니다.

[그림 4-27] WEB APP Bot 계획위치 추가하기

- Application insights 서비스는 해제합니다.
- 앱아이디 및 암호 자동생성으로 진행합니다.
- 만들기 버튼을 클릭하여 Web App Bot 서비스를 신청 완료합니다.

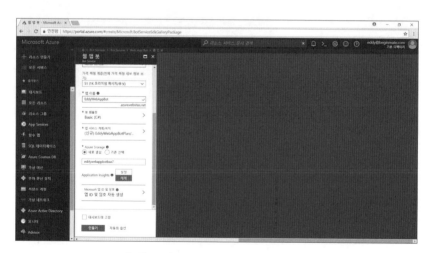

[그림 4-28] Web App Bot 서비스 만들기 완료

5 Web App Bot 서비스 신청 후 1분내외 BotServices 목록에 신청 서비스가 나타납니다.

[그림 4-29] Bot Service 목록보기

6 주요 Web App Bot 서비스 메뉴를 확인합니다.

개요: 해당 Web App Bot 서비스 주요정보를 제공합니다. 끝점(EndPoint)주소를 반드시 확인합니다.

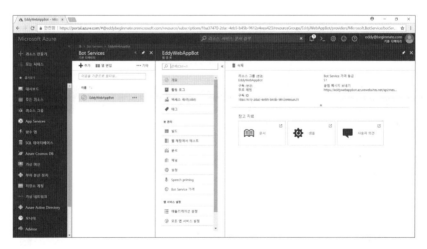

[그림 4-30] Web App Bot 개요

빌드: Azure 포털상에서 온라인코드 편집기(Visual Studio Code UX)를 이용해

심플하고 빠르게 봇서비스를 빌드관리할 수 있습니다.

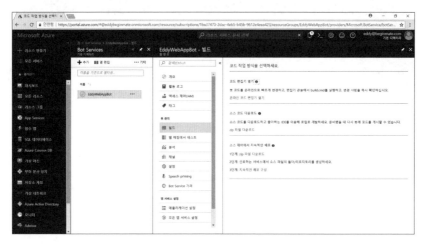

[그림 4-31] Web App Bot 빌드메뉴

웹 채팅에서 테스트

- Azure에서 제공되는 웹 채팅 컨트롤을 이용해 바로 웹 채팅기반에서 챗봇을 테스트하거나 서비스할 수 있습니다.

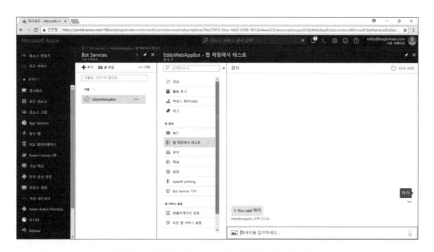

[그림 4-32] Web App Bot 웹 채팅에서 테스트 메뉴

채널: 챗봇 서비스와 연결할 수 있는 각종 채널(채팅클라이언트)정보를 관리할 수 있습니다.

- 채널의 종류에는 각종 SNS, 웹챗, DirectLine 채널이 존재합니다.
- 웹챗의 편집버튼을 클릭하여 DirectLine의 Security Key값과 웹챗을 iframe을 이용해 고객사이트에 연결할 수 있는 방법을 확인해보세요.

설정: 봇과 관련한 기본정보를 설정하거나 제공합니다.

- EndPoint 주소를 재설정할 수 있습니다. (여러개의 Controller사용시 변경해가며 사용할 수 있습니다.

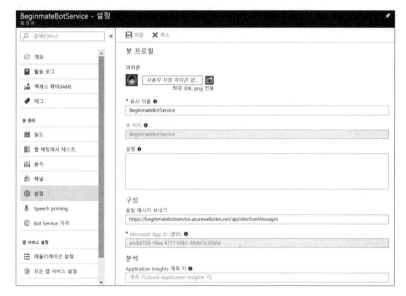

[그림 4-33] Web App Bot 설정 메뉴

애플리케이션 설정: Web App Bot 애플리케이션의 각종 설정정보를 확인하고 관리할 수 있습니다.

- .NET Framework: v.4.7 개발된 소스를 서비스할 .NET 프레임워크 버전을 선택합니다. (개발환경 포함 상위버전가능)

- 플랫폼: 64비트를 선택합니다.
- 웹 소켓: 설정으로 활성화 합니다.
- 앱설정의 주요항목을 확인합니다.
  - BotID: Visual Studio로 개발된 봇 애플리케이션의 web.config항목 내 존재하는 봇아이디 값으로 사용됩니다.
  - MicrosoftAppID: 각종채널에서 봇서비스 접근 인증시 사용할 App아이디입니다. Visual Studio로 개발된 봇 애플리케이션의 web.config 항목내 정보를 설정할 수 있습니다.
  - MicrosoftAppPassword; 각종채널에서 봇서비스 접근 인증시 사용할 암호입니다. Visual Studio로 개발된 봇 애플리케이션의 web.config 항목내 정보를 설정할 수 있습니다.

[그림 4-34] Web App Bot 애플리케이션 설정메뉴1

[그림 4-35] Web App Bot 애플리케이션 설정메뉴2

모든 앱서비스 설정을 클릭하면 Azure 웹앱의 설정화면으로 이동합니다.

- 개요: 전체 웹앱의 정보/사용현황 정보를 제공합니다.

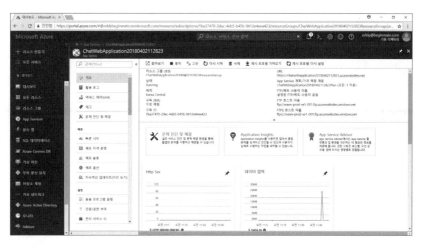

[그림 4-36] Web App Service 개요 메뉴

- 응용프로그램 설정

[그림 4-37] Web App Service 응용프로그램 설정 메뉴1

[그림 4-38] Web App Service 응용프로그램 설정 메뉴2

- 사용자 지정도메인: 사용자의 도메인을 이용해 챗봇을 서비스할 수 있습
  니다.

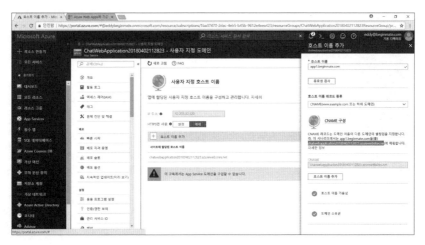

[그림 4-39] Web App Service 사용자 지정 도메인 메뉴

● 가격책정계층선택: 서비스 사양을 변경적용할 수 있습니다.

[그림 4-40] Web App Service 강화(App Service 계획)

● 규모확장(App Service 계획): 설정기반 Auto Scale 기능을 제공합니다.

[그림 4-41] Web App Service 규모확장 메뉴

7 Visual Studio로 개발된 Bot Application을 방금 만들어둔 Azure Web App Bot 서비스 공간에 배포해도보록 하겠습니다.

- 배포에 앞서 Bot Application에서 사용되고 있는 Microsoft.Bot.Builder Nuget 패키지를 최신버전으로 업데이트를 진행합니다.
- ChatBotApplication 프로젝트에 마우스 우클릭 > Nuget 패키지관리클릭 > 상단 찾아보기탭을 선택 후 검색란에 "Microsoft.Bot.Builder"를 입력하고 조회합니다.
- 조회결과에서 "Microsoft.Bot.Builder"를 선택하고 최신버전인 3.15버전을 선택 후 업데이트를 실시합니다.

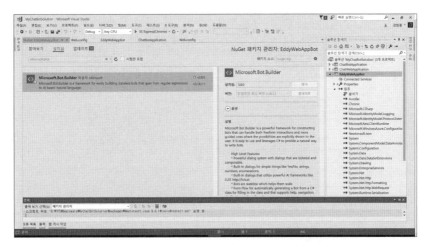

[그림 4-42] Nuget Package Bot Builder 버전확인

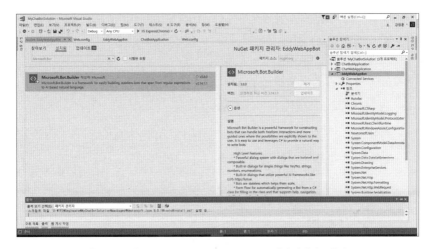

[그림 4-43] Nuget Package Bot Builder 3.15 버전 업데이트 확인

- ChatBotApplication내의 Web.config 파일을 열고 다음 항목에 대해 Azure 포털 WebApp Bot 애플리케이션 설정 값중 아래 항목값들을 해당 값으로 세팅해줍니다.

  〈add key="BotId" value="YourBotId" /〉
  〈add key="MicrosoftAppId" value="" /〉
  〈add key="MicrosoftAppPassword" value="" /〉

[그림 4-44] Web.config 파일 챗봇ID, Microsfot App 아이디/암호 설정

8 Visual Studio의 솔루션 탐색기에서 ChatBotApplication 프로젝트를 선택하고
마우스 우클릭 > 게시를 클릭합니다.

- 상단 우측 계정을 Web App Bot 서비스생성 계정으로 로그인하거나 올바
  른 계정으로 로그인했는지 확인합니다.
- 게시대상선택에서 App Service > Azure App Service의 기존항목선택을
  반드시 선택 후 게시를 클릭합니다.

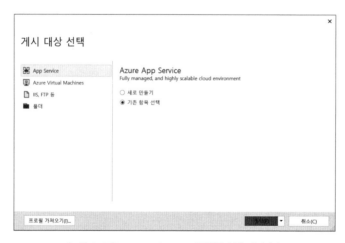

[그림 4-45] Web App Service 기존항목 선택 게시하기

- App Service 현재 보유중인 Azure 앱서비스 목록이 나타나며 Azure 포털에 생성한 Web App Bot 서비스를 선택 후 확인을 클릭합니다.
- 상단 우측 마이크로소프트 계정이 Azure 포털의 계정과 일치하는지 확인하고 Azure 봇서비스를 생성한 마이크로소프트 계정이 아니면 해당 계정으로 재로그인합니다.

[그림 4-46] App Service 목록 검색

9 반드시 파일게시 옵션 항목에서 대상에서 추가파일 제거 항목을 체크 후 저장합니다.

- Azure 포털에 자동으로 생성된 소스를 모두 제거하고 Visual Studio로 개발한 소스를 새로 배포하기 위함입니다.

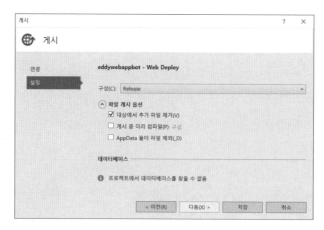

[그림 4-47] 파일 게시옵션 설정하기

10 웹챗으로 연결 테스트 하기

정상적으로 게시가 되었는지 Azure 포털 Web App Bot 서비스 메뉴 중 웹 채
팅에서 테스트 메뉴를 클릭해 개발된 소스가 정상 작동되는지 확인하고 채널 메
뉴의 웹챗 iframe 링크주소를 이용해 독립된 브라우저 환경에서도 작동이 되는
지 확인합니다.

[그림 4-48] 웹 채팅에서 챗봇 테스트하기

- 채널 메뉴를 클릭 후 WebChat의 편집을 클릭합니다.

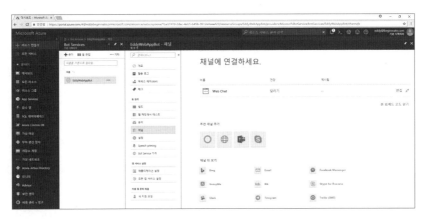

[그림 4-49] WEB App Bot 채널 Web Chat 편집하기

- 임베드 코드란에 있는 Iframe 연결주소를 복사하여 브라우저 주소란에 붙여넣은 후 아래와 같이 s=값으로 암호키 표시를 클릭해 나타나는 암호키를 붙여넣은 후 해당 주소를 호출하면 웹 채팅 채널을 통해 챗봇을 손쉽게 연결하여 여러분의 웹 사이트에 챗봇을 연결해 서비스할 수 있습니다.

[그림 4-50] Web Chat 구성, 암호키 표시 및 임베드코드 주소확인하기

11 에뮬레이터를 이용한 애저 Azure 서비스 테스트하기

- Azure 클라우드에 배포된 챗봇 서비스에 대해 개발자 컴퓨터에 설치된 애뮬레이터에서도 연결 테스트가 가능합니다.
- Azure 포털 서비스에서 제공되는 챗봇서비스를 애뮬레이터로 테스트하기 위해서는 보안을 우회할 수 있는 S/W가 필요한데 아래 사이트에서 관련 S/W 다운받습니다.

  HTTPS://ngrok.com

- 회원가입 후 로그인 후 다운로드 메뉴에서 윈도우즈용 ngrok 압축파일을 다운받아 로컬에 다운받습니다.

[그림 4-51] ngrok 홈페이지

- 다운받은 압축파일을 풀고 exe 파일 위치를 확인합니다.

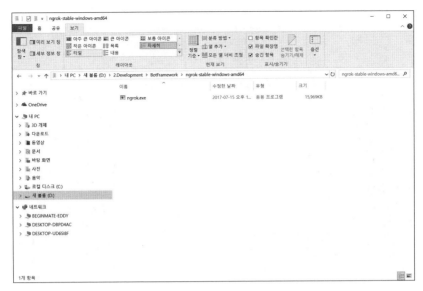

[그림 4-52] ngrok 윈도우버전다운로드 압축풀기

- 애뮬레이터를 가동하고 좌측 메뉴의 지구본 모양의 Services 메뉴를 클릭 후 create a new bot configuration 메뉴를 클릭 후 원격 Azure End Point 주소기반의 관련정보를 입력 후 ~.bot 설정파일을 저장합니다.

- Azure 포털에서 제공해주는 WEB APP BOT 서비스의 설정메뉴에서 Azure 서비스 도메인 끝점 주소를 복사해 애뮬레이터 주소란에 입력하고 MicrosoftAppId 값과 MicrosoftAppPassword 값을 입력 후 저장합니다.

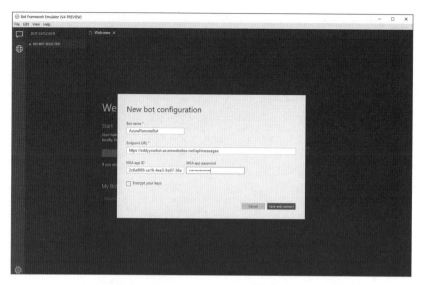

[그림 4-53] create a new bot configuration 설정파일저장

- 애뮬레이터의 좌측 하단 설정아이콘을 클릭 후 Settings 메뉴의 Path to ngrok 파일 위치 패스를 설정 후 Auth와 SignIn 체크박스를 체크 후 저장 버튼을 클릭합니다.

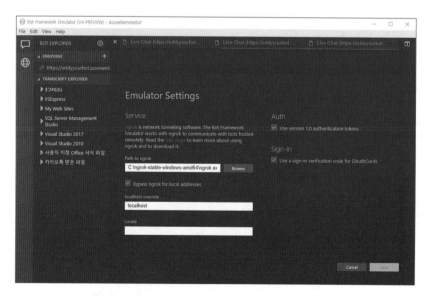

[그림 4-54] rok 실행파일 경로설정 및 Auth, Sign-in 체크하기

등록된 원격주소의 ENDPOINT를 클릭해 애뮬레이터에서 정상적으로 원격 챗봇이 호출되면 개발 및 배포/서비스 환경 모두가 준비완료된것입니다. 다음장부터는 본격적으로 미용실 예약 챗봇 서비스 개발에 집중해보겠습니다.

4.2 챗봇 서비스 개발

4.2.1 미용실 예약 자동화 챗봇 개발

챗봇개발의 시작은 챗봇이 적용되는 해당 비즈니스의 대한 이해에서 시작됩니다. 미용실 예약자동화 챗봇을 개발하기에 앞서 미용실 예약 프로세스를 파악하고 챗봇으로 적용할 시나리오를 아래와 같이 구성합니다. 시나리오 작성은 파워포인트의 순서도나 UML 툴을 이용한 액티비티 다이어그램으로 작성합니다.

[그림 4-55] 미용실 예약 자동화 챗봇 소개

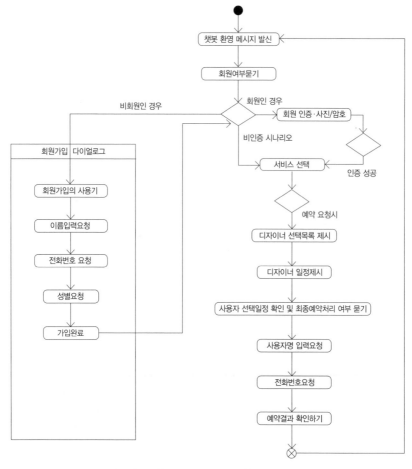

[그림 4-56] 미용실 예약 자동화 챗봇 시나리오

시나리오를 확인해 보면 사용자 클라이언트 채널에서 최초 메시지가 넘어오기 전에 채널과 챗봇이 연결되면 챗봇이 먼저 환영인사를 한 후 회원여부를 물어봅니다. 비회원이더라도 바로 예약할 수 있도록 비인증 시나리오를 통해 예약할 수 있어야합니다.

미용실의 서비스 목록을 제공하고 사용자가 예약서비스를 선택하면 미용실내 헤어디자이너의 목록을 챗봇이 제시하는등의 프로세스를 이해하고 관련 시나리오를 구체적으로 수립 후 챗봇개발을 시작해야합니다.

상기 시나리오중 비회원이 미용실 예약을 진행하는 시나리오를 중심으로 미용실 예약 자동화 챗봇 기능을 구현해도보록 하겠습니다.

1 사용자에게 먼저 말걸어주는 친절한 챗봇 기능 구현하기

- 기존의 심플챗봇은 사용자가 최초 메시지를 보내주지 않으면 아무런 반응이 없는 불친절한 챗봇이였습니다.
- 사용자 채널(에뮬레이터, 채팅 클라이언트)과 챗봇이 최초 연결되면 사용자가 최초 메시지를 보내지 않더라도 사용자(채널)에게 먼저 인사를 건네는 친절한 챗봇기능을 구현합니다.
- 사용자 채널이 접속하는 OPEN API EndPoint 주소로 제공되는 Controllers 폴더의 MessagesController.cs 파일을 오픈합니다.
- 사용자로부터 전달되는 메시지를 처리하는 HandleSystemMessage 메소드의 내용을 아래 코드와 같이 변경처리합니다.
- 그리고 MessagesController.cs 상단 참조 영역에 아래 using 구문을 추가합니다.

```
using System;
using System.Linq;
```

```
private Activity HandleSystemMessage(Activity message)
{
    string messageType = message.GetActivityType();
    if (messageType == ActivityTypes.DeleteUserData)
    {
        // Implement user deletion here
        // If we handle user deletion, return a real message
    }
    else if (messageType == ActivityTypes.ConversationUpdate)
    {
        //챗봇이 먼저 대화를 건다.
        if (message.MembersAdded.Any(o => o.Id == message.Recipient.Id))
        {
            var reply = message.CreateReply("안녕하세요.\r\n 비긴메이트 헤어살롱 예약 도우미 챗봇입니다.^^");
            ConnectorClient connector = new ConnectorClient(new Uri(message.ServiceUrl));
            connector.Conversations.ReplyToActivityAsync(reply);
        }
    }
    else if (messageType == ActivityTypes.ContactRelationUpdate)
    {
        // Handle add/remove from contact lists
        // Activity.From + Activity.Action represent what happened
    }
    else if (messageType == ActivityTypes.Typing)
    {
        // Handle knowing that the user is typing
    }
    else if (messageType == ActivityTypes.Ping)
    {
    }
    return null;
}
```

[그림 4-57] 사용자 환영 메시지발송

- MessagesController.cs 의 Post 메소드는 사용자 채널로 부터 전달되는 각
  종 메시지와 상태정보를 Activity객체를 통해 전달받습니다.

- 사용자가 메시지를 입력해 Post 메소드로 전달되는 Activity 파라미터의 유
  형은 ActivityTypes.Message이며 최초에 사용자 채널과 챗봇이 연결되거
  나 사용자 메시지 전송없이 대화 상태만 변경되는 경우의 Activity 파라미터
  유형은 ActivityTypes.ConversationUpdate입니다.

- 사용자 채널과 챗봇이 최초 연결되면 챗봇에서는 사용자 인식 및 인증을 위
  해 아래와 같이 2단계 과정을 거칩니다.

- 첫 번째는 ActivityTypes.ConversationUpdate 유형으로 Activity가 전달
  되면 챗봇은 최초 연결되는 사용자 채널을 위한 고유 ID 토큰값을 발급하고
  챗봇에 동일 ID값과 관련정보를 저장합니다.

- 두 번째로 사용자 채널은 챗봇으로부터 발급된 토큰을 이용해 챗봇에 재연
  결을 시도합니다.

- 두번째 연결시도시 챗봇은 이미 등록된 사용자임을 감지하고 환영인사 메시지를 작성한 후 ConnectorClient 객체를 통해 환영 메시지를 사용자 채널에 전송합니다.

2 코딩된 환영인사가 적용되는지 에뮬레이터를 통한 확인

- Visual Studio에서 F5 또는 상단 아이콘중 녹색 디버깅 아이콘 또는 상단 메뉴중 디버그 > 디버깅 시작 메뉴를 클릭해 브라우저를 통한 디버깅을 실시합니다.
- 디버깅 상태에서 여러분 컴퓨터에 설치되어 있는 챗봇 에뮬레이터(아이콘이 바탕화면에 존재함)를 실행합니다.
- 애뮬레이터의 BOT EXPLOER 상단 Welcome 탭 화면 하단 My Bots에 기존에 등록해둔 챗봇 설정파일(ChatBotApplication)을 클릭하거나 Open Bot 버튼을 클릭해 기존에 챗봇 Endpoint 정보를 저장해둔 (~.bot) 파일을 찾아 오픈합니다.
- 챗봇 주소 설정파일(~.bot) 파일위치가 기억나지 않으면 Welcome 탭내 create a new bot configuration 메뉴를 클릭해 관련정보를 입력 후 로컬에 설정파일을 지장합니다.
- 챗봇 EndPoint 주소를 클릭해보면 아래 화면처럼 정상적으로 챗봇이 먼저 인사를 건네는 내용을 확인할 수 있습니다.

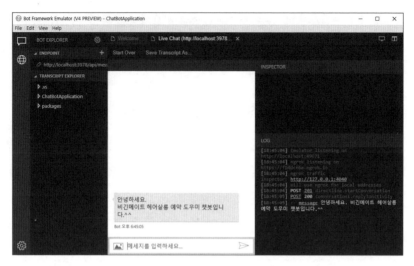

[그림 4-58] 사용자 환영 메시지 확인

3 미용실 예약 전용 루트 다이얼로그 생성하기

- Dialogs 폴더에 오른쪽 마우스 클릭 후 추가 > 새항목을 클릭합니다.

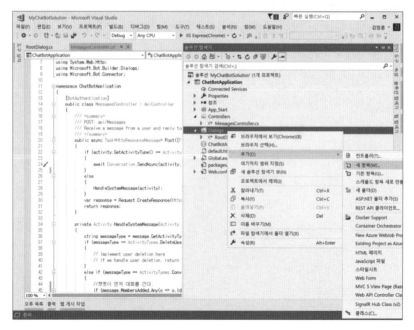

[그림 4-59] BeautySalonRootDialog 새항목 추가하기

- 템플릿 선택 팝업창에서 Bot Dialog 템플릿을 선택하고 이름란에 "Beauty SalonRootDialog.cs" 라고 입력 후 추가버튼을 클릭합니다.
- 생성된 BeautySalonRootDialog.cs 내 MessageReceivedAsync 메소드 안에 아래 코드를 추가합니다.
- Dialog 클래스는 특정 대화주제 별로 다양하게 추가 생성이 가능하며 주제 별 다이얼로그간 이동이 가능하여 전체 챗봇 시스템을 대화 주제별로 각종 다이얼로그 클래스를 생성하여 분리해 챗봇 시나리오를 체계적으로 관리할 수 있습니다.

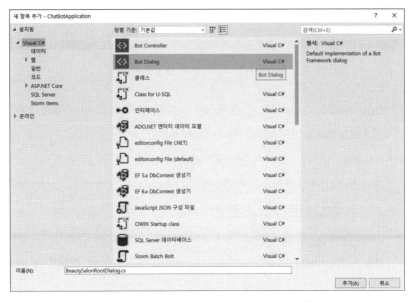

[그림 4-60] BeautySalonRootDialog Bot Dialog 추가하기

- 아래부터는 챗봇의 최초 코딩부분이라 다이얼로그 클래스의 주요기능들에 대해 좀 더 자세히 설명하겠습니다.

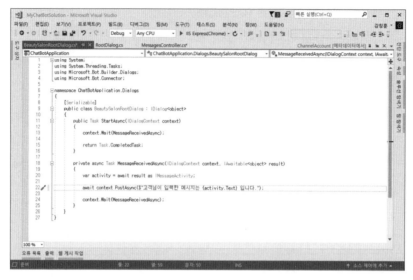

[그림 4-61] BeautySalonRootDialog.cs 클래스

- BeautySalonRootDialog 클래스를 포함해 모든 Dialog 클래스들은 기본 적으로 IDialog 인터페이스를 상속받습니다.

- IDialog 인터페이스에서 정의된 StartAsync() 메소드는 반드시 상속받은 클래스에서는 구현해야하며 구현된 StartAsync() 메소드는 해당 다이얼로 그의 객체가 생성시 최초로 실행되는 진입점 역할을 수행합니다.

- StartAsync() 실행시 해당 다이얼로그 전체 컨텍스트 정보를 관리해주는 IDialogContext 객체가 파라미터로 전달되어 context 객체를 통해 해당 다이얼로그 객체의 정보 및 상태를 관리할 수 환경 및 다이얼로그 컨텍스트 의 공통기능을 제공해줍니다.

- MessageReceivedAsync() 메소드내의 context.PostAsync("메시지") 주 요 코드를 확인합니다.

- context 객체는 DialogContext 클래스를 말하며 DialogContext 클래스 의 PostAsync("메시지") 메소드는 챗봇의 각종 다이얼로그 객체에서 사용자 채널로 메시지를 전송할때 주로 사용합니다.

- context.Wait(MessageReceivedAsync) 코드의 Wait(특정 메소드명)의 역할은 말그대로 대화 흐름을 멈추고 사용자로부터 다음 메시지가 올때까지 대기하고 다음메시지가 왔을 때 Wait 메소드내에 지정한 특정 메소드가 실행되면서 대화의 흐름을 이어갈수 있게하는 기능을 제공합니다.

- 즉 MessageReceivedAsync() 메소드의 내용을 말로 풀어보면 사용자로 부터 전달된 메시지를 받아 새로운 답변 메시지를 만들고 PostAsync() 메소드를 통해 즉시 사용자 채널로 챗봇 메시지를 전송한 후 다음 사용자 메시지가 도착하면 다시 MessageReceivedAsync() 메소드가 대화의 흐름을 받아 진행하게 코딩한것입니다.

- 현재 코드에서는 MessageReceivedAsync() 메소드가 재귀호출되는 구조로 되어 있지만 추후 코드에서는 진행 시나리오별로 별도의 대기 메소드들이 지정됩니다.

4 루트 다이얼로그 변경하기

- 환영 메시지를 받은 사용자가 채팅 메시지를 입력하고 챗봇에 메지를 보내면 MessagesController.cs 클래스의 Post 메소드를 통해 Activity 타입의 파라미터가 전달되며 Activity 파라미터의 유형은 ActivityTypes.Message로 전달됩니다.

- ActivityTypes.Message인 경우 대화 흐름을 제어하는 Conversation 클래스를 통해 최상위 대화 주제 다이얼로그를 지정할 수 있는데 기본적으로 Dialogs 폴더내 RootDialog 클래스로 지정되어있습니다.

- 디폴트 RootDialog 대신 방금 만든 미용실 예약 루트 다이얼로그 BeautySalonRootDialog.cs()로 아래와 같이 다이얼로그를 변경합니다.

- 사용자 채널과의 대화 흐름제어는 아래 코드처럼 Conversation.Send Async()를 통해 특정 대화 주제 다이얼로그 지정하고 사용자 메시지가 포함된 액티비티 객체를 다이얼로그에 전달합니다.

```
/// <summary>
/// POST: api/Messages
/// Receive a message from a user and reply to it
/// </summary>
public async Task<HttpResponseMessage> Post([FromBody]Activity activity)
{
    if (activity.GetActivityType() == ActivityTypes.Message)
    {
        await Conversation.SendAsync(activity, () => new Dialogs.BeautySalonRootDialog());
    }
    else
    {
        HandleSystemMessage(activity);
    }
    var response = Request.CreateResponse(HttpStatusCode.OK);
    return response;
}
```

[그림 4-62] BeautySalonRootDialog 로 루트 다이얼로그 변경하기

5 디버깅을 하고 애뮬레이터를 통해 적용된 내용을 확인하기

- Visual Studio에서 F5를 누르고 디버깅을 실시합니다.
- 챗봇 에뮬레이터 오픈하고 챗봇 엔드포인트를 클릭해 챗봇과 연결 후 환영 메시지 이후 직접 메시지를 입력 후 전송 버튼을 클릭합니다.
- 미용실 예약 루트 다이얼로그의 변경된 답변 메시지가 챗봇으로부터 전달되면 정상적용된 것입니다.

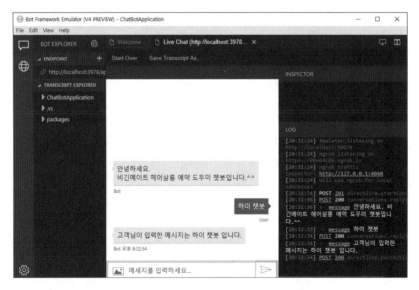

[그림 4-63] BeautySalonRootDialog 메시지 확인하기

6 회원여부 물어보기

- 이제 본격적으로 미용실 예약 시나리오를 챗봇 코드로 구현해보도록 합니다.

- BeautySalonRootDialog.cs 클래스를 오픈하고 이전에 코딩한 Message ReceivedAsync() 메소드 내용을 아래 MessageReceivedAsync() 메소드 내용으로 변경합니다.

- HelpReplyReceivedAsync() 메소드를 추가합니다.

- context.PostAsync(메시지)를 통해 챗봇에서 연결된 사용자 채널로 즉시 메시지를 전송합니다.

- Wait 메소드를 통해 사용자로부터 다음 메시지를 수신할때까지 대화 흐름상태를 대기상태로 전환하며 다음 메시지가 도착하면 HelpReply ReceivedAsync() 메소드가 실행될 수 있게 메소드명을 지정합니다.

```
/// <summary>
/// Step1. 회원 여부 묻기
/// </summary>
/// <param name="context"></param>
/// <param name="result"></param>
/// <returns></returns>
private async Task MessageReceivedAsync(IDialogContext context, IAwaitable<object> result)
{
    await context.PostAsync($"비긴메이트 헤어살롱 회원이시면 예를 그렇지 않으면 아니오 를 입력해주세요.");

    //2.다음단계 응답처리 함수 설정 및 수신대기
    context.Wait(HelpReplyReceivedAsync);
}
```

[그림 4-64] 회원여부 묻기 메시지 작성

- HelpReplyReceivedAsync()는 사용자 메시지 대기함수입니다.

- HelpReplyReceivedAsync()는 사용로부터 응답 메시지가 도착하면 실행되는 메소드로 정상적인 시나리오를 기대한다면 사용자가 '예' 또는 '아니오' 글자를 입력해 메시지를 전송했을것이고 '예' 또는 '아니오'란 메시지 또는 기타 텍스트가 전송되었을 시나리오를 대비해 코드를 아래와 같이 작성합니다.

- activity 객체의 Text란 속성은 사용자 보낸 메시지내용을 확인할 수 있습니다.
- 사용자가 보낸 메시지 내용에 따라 조건문으로 다음 시나리오를 처리하기 위한 메소드를 실행합니다.
- 아래 코드에서 else 블록 다시 이전 질문하기 부분을 보면 예 또는 아니오 텍스트가 아니면 다시 이전 동일질문을 보내기 위해 this.MessageReceivedAsync()를 실행합니다.

```
/// <summary>
/// Step2. 회원여부 사용자 답변 분석하기
/// </summary>
/// <param name="context"></param>
/// <param name="result"></param>
/// <returns></returns>
private async Task HelpReplyReceivedAsync(IDialogContext context, IAwaitable<object> result)
{
    //1.채널로부터 전달된 Activity 파라메터 수신
    var activity = await result as Activity;

    //2.대화 로직처리하기
    if (activity.Text.ToLower().Equals("yes") == true || activity.Text.ToLower().Equals("y") || activity.Text.Equals("예"))
    {
        //2.1 서비스 유형 선택 요청
        //await this.ConfirmServiceTypeMessageAsync(context);
    }
    else if (activity.Text.ToLower().Equals("no") == true || activity.Text.Equals("아니오") == true )
    {
        //2.2 신규회원가입 다이얼로그 전환
        //context.Call(new MembershipDialog(), ReturnRootDialogAsync);
    }
    else
    {
        //다시 이전 질문하기
        await this.MessageReceivedAsync(context, null);
    }
}
```

[그림 4-65] 회원여부 묻기 답변 처리하기

7 사용자가 예를 답변하여 회원인 경우 미용실 서비스 정보 제공

- 상기 시나리오에서 사용자가 "예" 메시지를 보내오면 미용실에서 제공하는 서비스 정보를 제공하기 위한 this.ConfirmServiceTypeMessageAsync() 메소드를 실행할 수 있게 해당 조건문 블럭의 //await this.ConfirmServiceTypeMessageAsync(context); 코드 주석(' // ')을 제거한 후 아래 ConfirmServiceTypeMessageAsync() 메소드를 추가합니다.
- 아래 코드에서는 HeroCard라는 클래스를 이용해 단순 문자메시지가 아닌

194

<이미지+제목+서브제목+버튼목록> 조합의 카드형태의 메시지로 사용자에게 다양한 정보담아 전달하는 기능을 구현합니다.

```
/// <summary>
/// 3.서비스 유형 선택
/// </summary>
/// <param name="context"></param>
/// <returns></returns>
private async Task ConfirmServiceTypeMessageAsync(IDialogContext context)
{
    var reply = context.MakeMessage();

    var options = new[]
    {
        "예약하기",
        "개인정보변경하기",
        "헤어샵둘러보기"
    };

    reply.AddHeroCard("서비스선택", "아래 원하시는 서비스유형을 선택해주세요.", options, new[] { "http://chat.beginmate.com/Images/Eelection/hairshop1.jpg" });
    await context.PostAsync(reply);

    //context.Wait(this.OnServiceTypeSelected);
}
```

[그림 4-66] 서비스 유형선택하기

8 AddHeroCard() 확장 메소드 구현하기

- MessageActivity에 AddHeroCard() 확장메소드 기능을 구현하기 위해 ChatBotApplication 프로젝트에 오른쪽 마우스 클릭 후 추가 > 새폴더를 클릭하고 폴더명으로 "Extensions"로 입력합니다.
- "Extensions" 폴더에 오른쪽 마우스 클릭 > 추가 > 클래스를 클릭하여 HeroCardExtensions.cs 클래스를 아래와 같이 생성합니다.
- 해당 클래스 상단에 using Microsoft.Bot.Connector; 구문을 추가합니다.

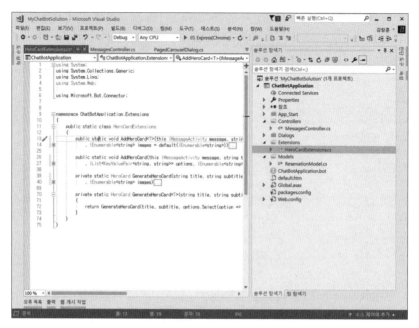

[그림 4-67] HeroCardExtensions 클래스 생성하기

- HeroCardExtensions.cs 에 아래 클래스 관련코드를 추가합니다.

```
public static void AddHeroCard<T>(this IMessageActivity message, string title, string subtitle, IEnumerable<T> options
, IEnumerable<string> images = default(IEnumerable<string>))
{
    var heroCard = GenerateHeroCard(title, subtitle, options, images);

    if (message.Attachments == null)
    {
        message.Attachments = new List<Attachment>();
    }

    message.Attachments.Add(heroCard.ToAttachment());
}

public static void AddHeroCard(this IMessageActivity message, string title, string subtitle
, IList<KeyValuePair<string, string>> options, IEnumerable<string> images = default(IEnumerable<string>))
{
    var heroCard = GenerateHeroCard(title, subtitle, options, images);

    if (message.Attachments == null)
    {
        message.Attachments = new List<Attachment>();
    }

    message.Attachments.Add(heroCard.ToAttachment());
}
```

```
private static HeroCard GenerateHeroCard(string title, string subtitle, IEnumerable<KeyValuePair<string, string>> options, IEnumerable<string> images)
{
    var actions = new List<CardAction>();

    foreach (var option in options)
    {
        actions.Add(new CardAction
        {
            Title = option.Key.ToString(),
            Type = ActionTypes.ImBack,
            Value = option.Value.ToString()
        });
    }

    var cardImages = new List<CardImage>();

    if (images != default(IEnumerable<string>))
    {
        foreach (var image in images)
        {
            cardImages.Add(new CardImage
            {
                Url = image,
            });
        }
    }

    return new HeroCard(title, subtitle, images: cardImages, buttons: actions);
}

private static HeroCard GenerateHeroCard<T>(string title, string subtitle, IEnumerable<T> options, IEnumerable<string> images)
{
    return GenerateHeroCard(title, subtitle, options.Select(option => new KeyValuePair<string, string>(option.ToString(), option.ToString())), images);
}
```

[그림 4-68] HeroCard 확장메소드구현

- HeroCardExtensions.cs 클래스는 MessageActivity 액티비티 객체에 HeroCard 관련 각종 확장 메소드를 추가 제공하는 기능을 담당합니다.
- BeautySalonRootDialog.cs 클래스로 이동해 HeroCardExtensions.cs 사용을 위해 상단 참조영역에 using ChatBotApplication.Extensions; 참조를 추가합니다.
- Visual Studio 상단메뉴중 빌드 > 솔루션 다시 빌드를 클릭히여 개발한 내용을 저장하고 정상적으로 코딩이 되었는지 확인합니다.
- 빌드시 빌드 에러가 나지 않으면 코드상에 문제가 없는것입니다.

9 디버깅을 하고 애뮬레이터를 통해 지금까지 적용된 시나리오 확인하기

- Visual Studio에서 F5를 누르고 디버깅을 실시합니다.
- 챗봇 에뮬레이터 오픈하고 챗봇 엔드포인트를 클릭해 챗봇과 연결 후 지금까지의 시나리오가 정상적으로 진행되는지 확인합니다.
- 회원여부에서 예를 입력하고 미용실 서비스 히어로카드가 나타나면 정상적으로 진행된 것입니다.

[그림 4-69] 서비스 메뉴 메시징 테스트하기

10 사용자 가"아니오"를 답변한 경우 회원 가입 다이얼로그로 이동하기

- 윗부분에서는 회원여부 질문에 대해 예를 답한경우에 대한 시나리오를 어느 정도 구현해보았으며 지금부터는 "아니오" 답변을 했을때의 시나리오를 구 현하겠습니다.

- HelpReplyReceivedAsync( ) 메소드 내에서 주석처리된 '//context. Call(new MembershipDialog(), ReturnRootDialogAsync);'의 주석('//') 을 제거합니다.

- 코드를 분석해 보면 개별 주제별 Dialog에서 다른주제의 Dialog로 이동하 고자 할때는 DialogContext의 Call() 메소드를 이용해 이동합니다.

- 현재 대화의 흐름이 진행되고 있는 BeautySalonRootDialog에서 신규 회 원가입을 위한 새로운 MembershipDialog를 생성하고 해당 다이얼로그 이동해 회원가입이라는 새로운 대화흐름을 진행 후 회원가입이 완료되거 나 관련 주제가 종료되면 다시 BeautySalonRootDialog에 정의되어 있는

ReturnRootDialogAsync()로 돌아오는 흐름을 제어하는 시나리오를 보여주는 예시입니다.

- 기존처럼 Dialogs 폴더에 오른쪽 마우스 클릭 > 추가 > 새항목을 클릭하고 Bot Dialog 템플릿을 선택 후 "MembershipDialog.cs"를 추가합니다.

- 신규회원 가입프로세스가 진행되며 신규 회원 가입이 완료되면 context.Done(true); 메소드를 통해 해당 주제 다이얼로그를 종료합니다.

- 현재 진행되는 다이얼로그가 종료되면 해당 다이얼로그를 호출한 상위 다이얼로그로 자동 이동되며 기존에 지정한 상위다이얼로그의 지정메소드로 흐름이 돌아갑니다.

```
using System;
using System.Threading.Tasks;
using Microsoft.Bot.Builder.Dialogs;
using Microsoft.Bot.Connector;

namespace ChatBotApplication.Dialogs
{
    [Serializable]
    public class MembershipDialog : IDialog<object>
    {
        public Task StartAsync(IDialogContext context)
        {
            context.PostAsync($"신규 회원 가입 프로세스를 진행합니다.\n 성함을 입력해주세요.");
            context.Wait(MessageReceivedAsync);

            return Task.CompletedTask;
        }

        private async Task MessageReceivedAsync(IDialogContext context, IAwaitable<object> result)
        {
            var activity = await result as IMessageActivity;
            await context.PostAsync($"전화번호를 입력해주세요.");
            context.Wait(EntryNewMember);
        }

        private async Task EntryNewMember(IDialogContext context, IAwaitable<object> result)
        {
            //신규 회원 가입로직 처리
            await context.PostAsync($"신규 회원 가입이 완료되었습니다.");

            context.Done(true);
        }
    }
}
```

[그림 4-70] 신규회원 가입 다이얼로그 생성

- BeautySalonRootDialog 에 ReturnRootDialogAsync() 메소드 코드를 아래와 같이 추가합니다.

```
/// <summary>
/// MembershipDialog에서 루트 다이얼로그로 돌아옴
/// </summary>
/// <param name="context"></param>
/// <param name="result"></param>
/// <returns></returns>
private async Task ReturnRootDialogAsync(IDialogContext context, IAwaitable<object> result)
{
    await context.PostAsync($"신규 회원 가입 완료 후 서비스 메뉴로 이동합니다.");

    //서비스 메뉴 이동
    await this.ConfirmServiceTypeMessageAsync(context);
}
```

[그림 4-71] 대화흐름 리턴 대기 메소드 구현하기

11 디버깅을 하고 애뮬레이터를 통해 지금까지 적용된 시나리오를 확인해보겠습니다.

- Visual Studio에서 F5를 누르고 디버깅을 실시합니다.
- 챗봇 에뮬레이터 오픈하고 챗봇 엔드포인트를 클릭해 챗봇과 연결 후 지금까지의 시나리오가 정상적으로 진행되는지 확인합니다.
- 관련된 메시지가 출력되고 최종적으로 미용실 서비스 메뉴가 출력되면 성공적으로 관련 시나리오가 진행된것입니다.

[그림 4-72] 신규회원 가입프로세스 테스트하기

12 미용실 제공 서비스 메뉴 선택 및 예약하기 기능 구현하기

- 6번 항목 ConfirmServiceTypeMessageAsync() 에서 제공한 서비스 메뉴 선택 코드내의 //context.Wait(this.OnServiceTypeSelected); 이부분의 주석('//')을 삭제합니다.

- context.Wait(this.OnServiceTypeSelected); 이부분은 사용자에게 제공된 서비스 메뉴를 선택 클릭하거나 메뉴명을 입력 후 전송 버튼을 클릭하면 사용자의 메시지를 받아 시나리오를 진행하는 메소드입니다.

- 아래처럼 OnServiceTypeSelected() 메소드를 구현합니다.

- 코드를 확인해보면 사용자가 선택한 메뉴에 따라 시나리오를 분기 처리해주는 것을 확인할 수 있습니다.

- 먼저 예약하기 메뉴의 기능을구현하기 위해 관련 분기문의 주석을 해제하고 OnServiceTypeSelected() 메소드 상단의 예약정보 저장 멤버변수 정의내용을 확인합니다.

- 사용자 예약정보 저장을 위한 ReservationModel 클래스를 솔루션 탐색기 프로젝트내의 Models란 새폴더를 추가하고 Models 폴더에 오른쪽 마우스 클릭 > 추가 > 클래스를 클릭 후 "ReservationModel.cs"로 클래스명을 지정 후 추가합니다.

- ReservationModel.cs 클래스의 코드를 아래와 같이 코딩합니다.

- BeautySalonRootDialog.cs 파일 상단 참조영역에 using ChatBot Application.Models; 모델 네임스페이스를 참조추가합니다.

- 사용자가 예약하기 메시지를 보내오면 예약정보를 저장하기 위한 ReservationModel의 인스턴스를 만들고 DesignerListMessageAsync() 메소드를 통해 미용실의 헤어디자이너 목록정보를 생성해 사용자 채널로 전송합니다.

```
//예약정보 멤버변수 선언
private ReservationModel memberReservation = null;

/// <summary>
/// 3.1 서비스 유형 선택 결과 처리
/// </summary>
/// <param name="context"></param>
/// <param name="result"></param>
/// <returns></returns>
private async Task OnServiceTypeSelected(IDialogContext context, IAwaitable<IMessageActivity> result)
{
    var message = await result;

    if (message.Text == "예약하기")
    {
        memberReservation = new ReservationModel();
        await this.DesignerListMessageAsync(context, result);
    }
    else if (message.Text == "개인정보변경하기")
    {
        //await context.PostAsync($"사용자 인증을 진행합니다.");
    }
    else if (message.Text == "헤어살롱둘러보기")
    {
        //await this.WelcomeVideoMessageAsync(context, result);
    }
    else
    {
        //await this.StartOverAsync(context, "죄송합니다. 요청사항을 이해하지 못했습니다.^^; ");
    }
}
```

[그림 4-73] 예약하기 사용자 응대처리 하기

```
using System;
using System.Collections.Generic;
using System.Linq;
using System.Web;

namespace ChatBotApplication.Models
{
    [Serializable]
    public class ReservationModel
    {
        public string MemberName { get; set; }
        public string DesignerName { get; set; }
        public string Date { get; set; }
        public string Time { get; set; }
        public string Telephone { get; set; }
        public string Sample2 { get; set; }
        public string Sample3 { get; set; }
        public string Sample4 { get; set; }
    }
}
```

[그림 4-74] 예약정보저장 모델만들기

13 미용실 소속 헤어디자이너 목록정보 생성 및 사용자 메시지 보내기

- 헤어 디자이너 정보 메시지를 처리해주는 DesignerListMessageAsync()
  메소드를 아래와 같이 구현합니다.

- 관련 정보는 여러장의 히어로 카드를 목록으로 구성하고 좌우 이동 버튼을 제공하여 히어로 카드가 슬라이드 되는 캐로셀 형태로 제공됩니다.
- 관련 프로그램을 위해 BeautySalonRootDialog.cs 파일 상단 참조영역에 using System.Collections.Generic; 네임스페이스를 참조 추가합니다.

```csharp
/// <summary>
/// 헤어디자이너 캐로셀 목록 메시지 발송
/// </summary>
/// <param name="context"></param>
/// <param name="beforeActivity"></param>
/// <returns></returns>
private async Task DesignerListMessageAsync(IDialogContext context, IAwaitable<object> beforeActivity)
{
    var activity = await beforeActivity as Activity;

    var carouselCards = new List<HeroCard>();
    carouselCards.Add(new HeroCard
    {
        Title = "1.김준오",
        Images = new List<CardImage> { new CardImage("http://chat.beginmate.com/Images/Eelection/Designer1.jpg", "1.김준오") },
        Buttons = new List<CardAction> { new CardAction(ActionTypes.ImBack, "선택하기", value: "1.김준오") }
    });

    carouselCards.Add(new HeroCard
    {
        Title = "2.박승철",
        Images = new List<CardImage> { new CardImage("http://chat.beginmate.com/Images/Eelection/Designer2.jpg", "2.박승철") },
        Buttons = new List<CardAction> { new CardAction(ActionTypes.ImBack, "선택하기", value: "2.박승철") }
    });

    carouselCards.Add(new HeroCard
    {
        Title = "3.권홍",
        Images = new List<CardImage> { new CardImage("http://chat.beginmate.com/Images/Eelection/Designer3.jpg", "3.권홍") },
        Buttons = new List<CardAction> { new CardAction(ActionTypes.ImBack, "선택하기", value: "3.권홍") }
    });

    carouselCards.Add(new HeroCard
    {
        Title = "4.이리안",
        Images = new List<CardImage> { new CardImage("http://chat.beginmate.com/Images/Eelection/Designer4.jpg", "4.이리안") },
        Buttons = new List<CardAction> { new CardAction(ActionTypes.ImBack, "선택하기", value: "4.이리안") }
    });

    var carousel = new PagedCarouselCards
    {
        Cards = carouselCards,
        TotalCount = 4
    };

    var reply = context.MakeMessage();
    reply.AttachmentLayout = AttachmentLayoutTypes.Carousel;
    reply.Attachments = new List<Attachment>();
```

```csharp
    foreach (HeroCard productCard in carousel.Cards)
    {
        reply.Attachments.Add(productCard.ToAttachment());
    }

    await context.PostAsync(reply);

    //사용자의 디자이너 선택정보 처리
    context.Wait(this.OnDesignerItemSelected);
}
```

[그림 4-75] 헤어디자이너 목록 메시징 처리하기

14 헤어 디자이너 목록 제공을 위한 페이징 가능 캐로셀 다이얼로그 생성

- 페이징 가능한 캐로셀 다이얼로그 클래스 생성을 위해 프로젝트 Dialogs 폴더에 오른쪽 마우스 클릭 > 추가> 새항목 > Bot Dialog를 선택 후 PagedCarouselDialog.cs를 추가합니다.
- PagedCarouselDialog.cs 클래스 내 모든 코드를 삭제하고 아래 관련코드로 해당 다이얼로그 클래스 전체를 덮어씁니다.

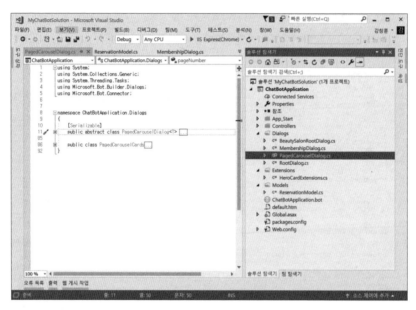

[그림 4-76] 캐로셀 페이징 다이얼로그 생성하기

```
private int pageNumber = 1;
private int pageSize = 5;
public virtual string Prompt { get; }
public abstract PagedCarouselCards GetCarouselCards(int pageNumber, int pageSize);
public abstract Task ProcessMessageReceived(IDialogContext context, string message);

public async Task StartAsync(IDialogContext context)
{
    await context.PostAsync(this.Prompt ?? "캐로셀");

    await this.ShowProducts(context);

    context.Wait(this.MessageReceivedAsync);
}

protected async Task ShowProducts(IDialogContext context)
{
    var reply = context.MakeMessage();
    reply.AttachmentLayout = AttachmentLayoutTypes.Carousel;
    reply.Attachments = new List<Attachment>();

    var productsResult = this.GetCarouselCards(this.pageNumber, this.pageSize);
    foreach (HeroCard productCard in productsResult.Cards)
    {
        reply.Attachments.Add(productCard.ToAttachment());
    }

    await context.PostAsync(reply);

    if (productsResult.TotalCount > this.pageNumber * this.pageSize)
    {
        await this.ShowMoreOptions(context);
    }
}

protected async Task MessageReceivedAsync(IDialogContext context, IAwaitable<IMessageActivity> result)
{
    var message = await result;
    if (message.Text.Equals("ShowMe", StringComparison.InvariantCultureIgnoreCase))
    {
        this.pageNumber++;
        await this.StartAsync(context);
    }
    else
    {
        await this.ProcessMessageReceived(context, message.Text);
    }
}
```

```
private async Task ShowMoreOptions(IDialogContext context)
{
    var moreOptionsReply = context.MakeMessage();
    moreOptionsReply.Attachments = new List<Attachment>
    {
            new HeroCard()
        {
            Text = "MoreOptions",
            Buttons = new List<CardAction>
            {
                new CardAction(ActionTypes.ImBack, "ShowMe", value: "ShowMe")
            }
        }.ToAttachment()
    };

    await context.PostAsync(moreOptionsReply);
}
```

```
public class PagedCarouselCards
{
    public IEnumerable<HeroCard> Cards { get; set; }

    public int TotalCount { get; set; }
}
```

[그림 4-77] PagedCarouselDialog 클래스 구현하기

15 디버깅을 하고 애뮬레이터를 통해 지금까지 적용된 시나리오 확인하기

- Visual Studio에서 F5를 누르고 디버깅을 실시합니다.
- 챗봇 에뮬레이터 오픈하고 챗봇 엔드포인트를 클릭해 챗봇과 연결 후 지금 까지의 시나리오가 정상적으로 진행되는지 확인합니다.
- 관련된 메시지가 출력되고 최종적으로 미용실 서비스 메뉴에서 예약하기를 선택하고 디자이너 목록이 나타나고 좌우 이동 버튼이 나오면 성공적으로 관련 시나리오가 진행된것입니다.

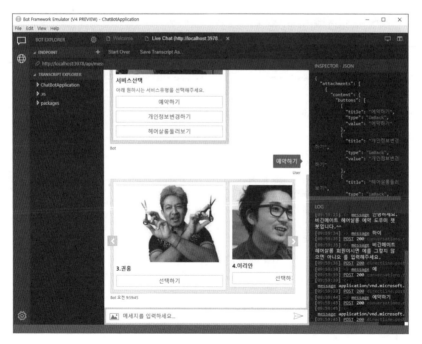

[그림 4-78] 헤어디자이너 목록 메시징 테스트하기

16 헤어 디자이너 선택 예약정보 저장 및 예약가능일자 메시지 발송하기

- DesignerListMessageAsync( ) 메소드내의 //context.Wait(this. OnDesignerItemSelected); 사용자가 선택한 헤어디자이너 선택정보를 처리하는 OnDesignerItemSelected() 메소드의 주석을 해제합니다.

- 아래와 같이 사용자의 헤어디자이너 선택정보를 처리하는 OnDesigner ItemSelected() 메소드를 구현합니다.

- 헤어 디자이너 선택버튼을 클릭하거나 이름을 입력하거나 관련번호를 입력 해도 정보를 받아 분기처리할 수 있게 로직을 처리했습니다.

- 사용자가 디자이너를 선택하지 않고 다른 질문의 메시지를 입력 후 전송하 면 예외처리를 위한 분기처리를 맨 하단에 추가하였습니다.
  await this.StartOverAsync(context, "죄송합니다. 요청사항을 이해하지 못했습니다.");

- 사용자 메시지의 의도 파악이 안되는 경우에 대한 챗봇 메시지 처리를 위해 다음과 같이 추가로 StartOverAsync() 메소드들을 구현해줍니다.

- 사용자 메시지 의도 파악이 안되거나 기본 시나리오에서 벗어나는 메시지가 사용자로부터 전달되는 경우에는 사용자에게 정중하게 사용자 의도 분석 실 패 메시지를 발송하고 미용실 서비스 목록 페이지로 흐름을 되돌려줍니다.

사용자 메시지를 통한 좀더 정확한 사용자 의도를 파악하는 방법 ────────

사용자 메시지의 정확한 의도 파악은 퍼블릭 클라우드 업체들에서 제공하는 인공지능의 자연어 처리 및 머신러닝등의 기능을 통해 사용자 메시지 기반 사용자 의도를 좀더 정확히 파악하여 관 련 시나리오에 적용할 수 있는 방법이 있습니다. 물론 추가적인 금전적 비용이 발생합니다.

```
/// <summary>
/// 헤어디자이너 선택 처리
/// </summary>
/// <param name="context"></param>
/// <param name="result"></param>
/// <returns></returns>
private async Task OnDesignerItemSelected(IDialogContext context, IAwaitable<IMessageActivity> result)
{
    var message = await result;

    //사용자 선택 디자이너 예약정보 저장
    memberReservation.DesignerName = message.Text;

    if (message.Text == "1.김준오" || message.Text == "1")
    {
        await context.PostAsync($"김준호 디자이너를 선택하셨습니다.");
        await this.ReservationDateListMessageAsync(context, result);
    }
    else if (message.Text == "2.박승철" || message.Text == "2")
    {
        await context.PostAsync($"김준호 디자이너를 선택하셨습니다.");
        await this.ReservationDateListMessageAsync(context, result);
    }
    else if (message.Text == "3.권홍!" || message.Text == "3")
    {
        await context.PostAsync($"김준호 디자이너를 선택하셨습니다.");
        await this.ReservationDateListMessageAsync(context, result);
    }
    else if (message.Text == "4.이리안" || message.Text == "4")
    {
        await context.PostAsync($"김준호 디자이너를 선택하셨습니다.");
        await this.ReservationDateListMessageAsync(context, result);
    }
    else
    {
        await this.StartOverAsync(context, "죄송합니다. 요청사항을 이해하지 못했습니다.^^; ");
    }
}
```

[그림 4-79] 헤어디자이너 선택 사용자메시지 처리하기

```
/// <summary>
/// 예외 메시지 처리
/// </summary>
/// <param name="context"></param>
/// <param name="text"></param>
/// <returns></returns>
private async Task StartOverAsync(IDialogContext context, string text)
{
    var message = context.MakeMessage();
    message.Text = text;
    await this.StartOverAsync(context, message);
}

//예외 메시지 처리
private async Task StartOverAsync(IDialogContext context, IMessageActivity message)
{
    await context.PostAsync(message);
    await this.ConfirmServiceTypeMessageAsync(context);
}
```

[그림 4-80] 사용자 의도 파악 실패 예외메시지 처리하기

17 담당 헤어 디자이너의 예약가능날짜 정보 제공하기

- 사용자의 헤어디자이너 선택정보를 수신 후 해당 선택 디자이너의 예약가능 일자를 알려주는 기능을 ReservationDateListMessageAsync()를 통해 다음과 같이 구현합니다.
- 히어로 카드를 이용해 선택 디자이너 정보와 예약 가능일자 정보를 구성해 사용자 채널로 메시지를 전달합니다.

```
/// <summary>
/// 예약날자 선택하기
/// </summary>
/// <param name="context"></param>
/// <param name="beforeActivity"></param>
/// <returns></returns>
private async Task ReservationDateListMessageAsync(IDialogContext context, IAwaitable<object> beforeActivity)
{
    var activity = await beforeActivity as Activity;
    var reply = context.MakeMessage();

    var options = new[]
    {
        "04월 21일 토요일",
        "04월 22일 일요일",
        "04월 23일 월요일",
        "04월 24일 화요일",
        "04월 25일 수요일",
        "04월 26일 목요일",
    };

    reply.AddHeroCard(activity.Text, "아래 원하시는 예약날자를 선택해주세요.", options
        , new[] { "http://chat.beginmate.com/Images/Eelection/hairshop2.jpg" });
    await context.PostAsync(reply);

    //context.Wait(this.ReservationListMessageAsync);
}
```

[그림 4-81] 선택 디지이너 예약가능일자 목록 메시징처리

18 디버깅을 하고 애뮬레이터를 통해 지금까지 적용된 시나리오를 확인해보겠습니다.

- 사용자가 디자이너를 선택하고 해당 디자이너의 일정이 표시되면 정상 적으로 작동되는것입니다.

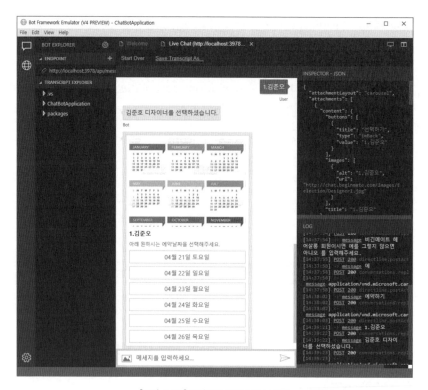

[그림 4-82] 예약일자 목록 테스트하기

- 사용자가 디자이너를 선택하지 않고 시나리오에서 벗어난 메시지를 작성해 전달하면 사용자 의도 파악실패 메시지가 출력되고 서비스 메뉴로 이동하는 것을 확인합니다.

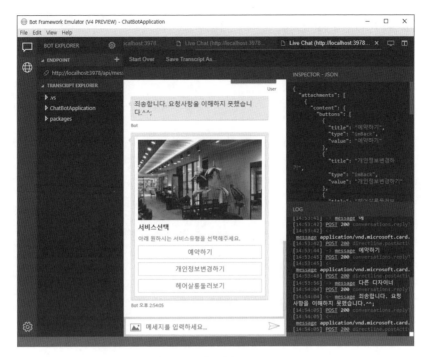

[그림 4-83] 예약하기 테스트

19 사용자 선택 디자이너 예약일자 예약정보 저장 및 예약시간 메시지 발송

- ReservationDateListMessageAsync()내의 선택예약일자 저장 및 시간 선택 메시지 발송 기능인 //context.Wait(this.ReservationListMessage Async();의 주석을 해제합니다.

- ReservationListMessageAsync()는 사용자 선택 예약일자를 예약정보 객체의 예약일자 속성에 저장하고 예약시간 메시지를 히어로 카드로 구성하여 사용자에게 메시지를 발송합니다.ReservationListMessageAsync() 메소드를 아래와 같이 구현합니다.

```
/// <summary>
/// 선택 디자이너 예약 가능 시간 알림
/// </summary>
/// <param name="context"></param>
/// <param name="beforeActivity"></param>
/// <returns></returns>
private async Task ReservationListMessageAsync(IDialogContext context, IAwaitable<object> beforeActivity)
{
    var activity = await beforeActivity as Activity;

    //사용자 예약일시 정보 저장
    memberReservation.Date = activity.Text;

    var reply = context.MakeMessage();

    var options = new[]
    {
        "오전 11시~12시",
        "오후 1시~2시",
        "오후 4시~5시",
        "이전으로",
    };

    reply.AddHeroCard(activity.Text, "아래 원하시는 예약시간을 선택해주세요.", options
        , new[] { "http://chat.beginmate.com/Images/Eelection/hairshop2.jpg" });
    await context.PostAsync(reply);

    //context.Wait(this.OnReservationTimeSelected);
}
```

[그림 4-84] 예약시간 메시징 구현하기

20 사용자 예약시간 저장 및 예약정보 확인 메시지 발송하기

- 예약시간 메시지 발송 ReservationListMessageAsync() 메소드드에 //
  context.Wait(this.OnReservationTimeSelected); 주석을 해제하고
  사용자가 선택한 예약시간정보 저장 및 예약정보 확인 OnReservation
  TimeSelected() 메소드를 아래와 같이 구현합니다.

```
/// <summary>
/// 예약시간 선택완료
/// </summary>
/// <param name="context"></param>
/// <param name="result"></param>
/// <returns></returns>
private async Task OnReservationTimeSelected(IDialogContext context, IAwaitable<IMessageActivity> result)
{
    var message = await result;
    memberReservation.Time = message.Text;

    if (message.Text == "오전 11시~12시" || message.Text == "1")
    {
        await context.PostAsync($" { memberReservation.DesignerName}디자이너로 { memberReservation.Date}에 { memberReservation.Time}에 예약하셨습니다.\n\n 성함을 입력해주세요.\n\n ");
        context.Wait(this.GetUserNameAsync);
    }
    else if (message.Text == "오후 1시~2시" || message.Text == "2")
    {
        await context.PostAsync($" { memberReservation.DesignerName}디자이너로 { memberReservation.Date}에 { memberReservation.Time}에 예약하셨습니다.\n\n 성함을 입력해주세요.\n\n ");
        context.Wait(this.GetUserNameAsync);
    }
    else if (message.Text == "오후 4시~5시" || message.Text == "3")
    {
        await context.PostAsync($" { memberReservation.DesignerName}디자이너로 { memberReservation.Date}에 { memberReservation.Time}에 예약하셨습니다.\n\n 성함을 입력해주세요.\n\n ");
        context.Wait(this.GetUserNameAsync);
    }
    else if (message.Text == "이전으로")
    {
        await this.ReservationListMessageAsync(context, result);
    }
    else
    {
        await this.StartOverAsync(context, "죄송합니다. 요청사항을 이해하지 못했습니다.^^; ");
    }
}
```

[그림 4-85] 사용자 예약시간 선택정보 처리하기

21 사용자 입력 예약자명 저장 및 전화번호 요청 메시지 발송

- 사용자로부터 예약자명을 전달받아 예약정보객체에 저장하고 예약자 전화
  번호를 요청합니다.

```
/// <summary>
/// 이름받기
/// </summary>
/// <param name="context"></param>
/// <param name="result"></param>
/// <returns></returns>
private async Task GetUserNameAsync(IDialogContext context, IAwaitable<object> result)
{
    var activity = await result as Activity;
    memberReservation.MemberName = activity.Text;

    await context.PostAsync($"전화번호를 입력해주세요.");
    context.Wait(this.GetUserTelephoneAsync);
}
```

[그림 4-86] 예약자 전화번호 입력요청하기

22 사용자 입력 전화번호 저장 및 예약완료 메시지 발송

- 사용자로부터 예약자 전화번호를을 전달받아 예약 정보객체에 저장하고 예
  약작업을 완료합니다.

- 예약 작업 완료 후 미용실 서비스메뉴 제공 시나리오로 이동합니다.

```
/// <summary>
/// 전화번호 받기
/// </summary>
/// <param name="context"></param>
/// <param name="result"></param>
/// <returns></returns>
private async Task GetUserTelephoneAsync(IDialogContext context, IAwaitable<IMessageActivity> result)
{
    var activity = await result as Activity;
    memberReservation.Telephone = activity.Text;

    await context.PostAsync($"감사합니다. 예약이 완료되었습니다.\n\n");
    await this.ConfirmServiceTypeMessageAsync(context);
}
```

[그림 4-87] 예약완료 메시지 처리하기

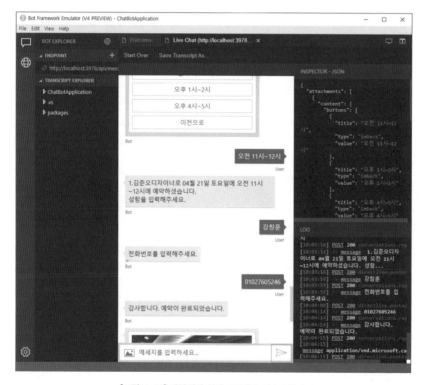

[그림 4-88] 예약처리 전체 프로세스 테스트하기

23 미용실 서비스 메뉴 시나리오로 돌아가 분기된 다른 시나리오의 주석을 해제합니다.

- 사용자 서비스 선택처리 메소드인 OnServiceTypeSelected() 내용을 확인합니다.
- 개인정보변경하기 분기문의 주석을 해제합니다.
- 사용자 인증을 위한 메시지를 출력한 후 인증시나리오가 있다면 코드를 구현합니다.
- 사용자 의도 파악 실패 분기문의 주석도 해제합니다. //await this.StartOverAsync(context, "죄송합니다. 요청사항을 이해하지 못했습니다.");

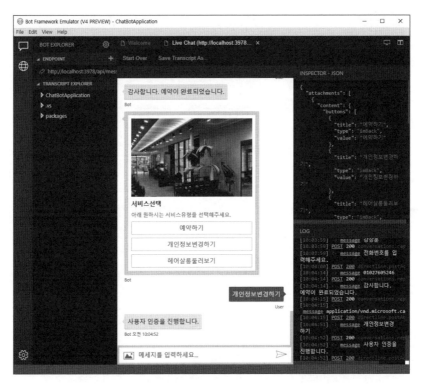

[그림 4-89] 기타 프로세스 처리

24 미용실 서비스 메뉴의 미용실 소개 메시지 처리부분인 헤어살롱 둘러보기 기능을 마지막으로 구현합니다.

- 사용자 서비스 선택처리 메소드인 OnServiceTypeSelected() 내용을 확인합니다.
- 헤어살롱 둘러보기 분기문의 주석을 해제하고 WelcomeVideoMessage Async() 메소드를 아래 코드와 같이 구현합니다.
- 미용실 소개는 동영상 포맷으로 미용실 내부를 소개하는 시나리오로 제공됩니다.

```
/// <summary>
/// 미용실 소개 동영상 메시지 처리
/// </summary>
/// <param name="context"></param>
/// <param name="result"></param>
/// <returns></returns>
private async Task WelcomeVideoMessageAsync(IDialogContext context, IAwaitable<object> beforeActivity)
{
    var reply = context.MakeMessage();

    var videoCard = new VideoCard
    {
        Title = "비긴메이트 헤어살롱",
        Subtitle = "스타트업 종사분들만 모시는 스타트업 O2O 헤어살롱입니다.\r\n 커피공짜,사무실 공짜, 언제든 머리고 복잡할때 찾아주세요.\r\n 시원하게 밀어드립니다.",
        Text = "",
        Image = new ThumbnailUrl
        {
            Url = "https://upload.wikimedia.org/wikipedia/commons/thumb/c/c5/Big_buck_bunny_poster_big.jpg/220px-Big_buck_bunny_poster_big.jpg"
        },
        Media = new List<MediaUrl>
        {
            new MediaUrl()
            {
                Url = "http://download.blender.org/peach/bigbuckbunny_movies/BigBuckBunny_320x180.mp4"
            }
        },
        Buttons = new List<CardAction>
        {
            new CardAction()
            {
                Title = "자세히 보기",
                Type = ActionTypes.OpenUrl,
                Value = "http://www.beginmate.com"
            },
            new CardAction()
            {
                Title = "이전으로",
                Type = ActionTypes.ImBack,
                Value = "이전으로"
            }
        }
    };

    reply.Attachments.Add(videoCard.ToAttachment());
    await context.PostAsync(reply);
    context.Wait(this.OnWelcomMsgSelected);
}
```

```
private async Task OnWelcomMsgSelected(IDialogContext context, IAwaitable<IMessageActivity> result)
{
    var message = await result;
    await this.StartOverAsync(context, "감사합니다. 서비스 목록으로 이동합니다.");
}
```

[그림 4-90] 헤어살롱 둘러보기(동영상) 메시지 처리하기

[그림 4-91] 헤어살롱 둘러보기 테스트

25 니버깅을 하고 애뮬레이터를 통해 지금까지 적용된 시나리오를 확인헤봅니다.

4.3 챗봇 채널서비스 연동

4.3.1 웹챗 컨트롤 연결

Azure Bot Service에서 제공하는 챗봇 웹 채팅 컨트롤 채널을 이용해 Azure 포털 상에서 아래와 같이 테스트도 가능하지만 해당 웹 채팅 페이지를 여러분의 웹 사이트에 직접 추가하는 방법도 제공하고 있습니다.

다음에서는 웹 채팅 컨트롤 채널을 통해 챗봇과 연결하는 세가지 방법을 소개해드립니다.

1 Azure 포털의 WebApp Bot 서비스를 클릭하고 웹 채팅 테스트 메뉴를 통해 Azure 포털에서 테스트가 가능합니다.

[그림 4-92] Azure WebApp Bot 서비스에서 웹챗팅 테스트하기

2 Azure 포털 WebApp Bot 서비스의 채널 메뉴를 클릭하고 Web Chat의 편집을 클릭하면 Web Chat 구성화면내의 Iframe 주소와 암호키를 이용해 아래와 같이 독립적인 웹페이지 형태나 iframe 형태로 특정 웹 페이지내에 웹 채팅 컨트롤을 삽입할 수 있습니다.

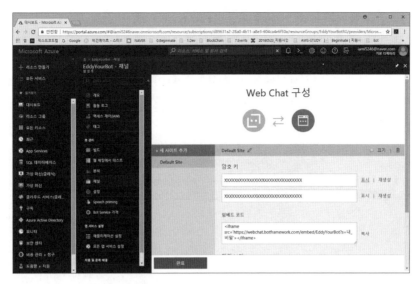

[그림 4-92] WebAppBot 채널 구성하기

- iframe 링크주소의 S 파라미터 값에 암호키 표시를 클릭해 나타나는 암호키 값을 전달하면 Azure Bot Service에서 제공하는 웹 채팅 페이지가 호출됩니다. 해당 호출 URL을 여러분의 웹 사이트내 특정 페이지에 삽입하거나 팝업 형태로 오픈해 사용할 수 있습니다.

[그림 4-93] 웹 채팅 컨트롤 팝업으로 호출하기

3 여러분의 웹 사이트 소스에 웹 채팅용 HTML페이지를 만들고 웹 채팅 컨트롤 기능을 구현할 수도 있습니다.

- 웹 채팅이나 웹 사이트 프로젝트에 오른 마우스 클릭 > 추가 > 새항목 > HTML페이지를 선택하고 WebChatControl.html 페이지를 추가합니다.

[그림 4-94] 프로젝트 소스에서 웹 채팅 컨트롤 페이지 생성하기

- html페이지에 아래와 같이 코드를 추가합니다.
- secret 값으로 채널메뉴의 보안키 값을 입력하고 bot id값으로 Azure 포털에서 제공하는 챗봇 아이디값을 입력합니다.
- 채팅 컨트롤의 보여지는 모습을 제어하고 싶으시면 스크립트 파일과 스타일시트 파일을 다운받아 내부 프로젝트에 삽입하고 html 페이지에서 참조하셔도 정상작동합니다.

220

```
WebChatControl.html + X
   1  <!DOCTYPE html>
   2  <html>
   3  <head>
   4      <link href="https://cdn.botframework.com/botframework-webchat/latest/botchat.css" rel="stylesheet" />
   5  </head>
   6  <body>
   7      <div id="bot" />
   8      <script src="https://cdn.botframework.com/botframework-webchat/latest/botchat.js"></script>
   9      <script>
  10          BotChat.App({
  11              directLine: { secret: '8nx7nR6Yq_l.cwA.kBg.7co-jHCUG5yPkufzfOkAeFwlgA9UCkC9rd0fttdoAB0' },
  12              user: { id: 'eddy' },
  13              bot: { id: 'EddyYourBot' },
  14              resize: 'detect'
  15          }, document.getElementById("bot"));
  16      </script>
  17  </body>
  18  </html>
```

[그림 4-95] 개발자 정의 웹 채팅 컨트롤 구현하기

- 접속 주소를 확인해보면 여러분 웹 사이트내 페이지에서 작동되는 것을 확인할 수 있습니다.

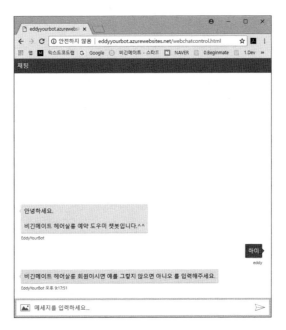

[그림 4-96] 개발자 정의 웹 채팅 컨트롤 테스트하기

4.3.2 카카오 플러스 연결

국내 챗봇 채널로서 카카오톡 플러스를 챗봇과 연결해보겠습니다.

카카오톡 플러스 친구는 Azure 봇서비스의 공식 지원 채널이 아니며 통신 방식 또한 챗봇의 다이렉트 라인 통신방식을 지원하지 않고 OPEN API 방식의 RESTFul 방식만 현재 지원하고 있는관계로 플러스 친구와 챗봇 사이에서 RESTful 방식으로 통신을 중계해주는 메시지 중계 서비스 개발이 추가로 이루어 져야합니다.

먼저 아래 그림을 통해 카카오톡과 챗봇사이의 통신관계를 확인해봅니다.

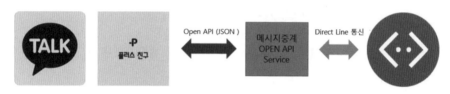

[그림 4-97] 카카오플러스 챗봇 통신구성도

1 카카오 플러스와의 대화를 처리할 카카오봇 다이얼로그 파일을 생성합니다.

- Dialogs 폴더에 오른쪽 마우스 클릭 > 추가 > 새항목을 클릭하고 Bot Dialog 템플릿을 선택 후 KaKaoPlusBotDialog.cs 클래스를 추가합니다.

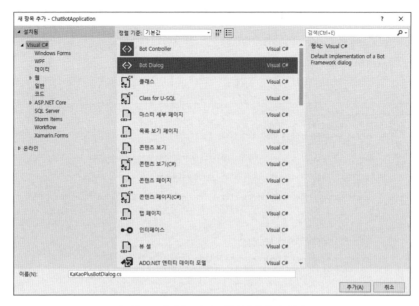

[그림 4-98] 카카오플러스 챗봇 다이얼로그 생성

2 KaKaoPlusBotDialog.cs 샘플소스를 작성합니다.

```
[Serializable]
public class KaKaoPlusBotDialog : IDialog<object>
{
    public Task StartAsync(IDialogContext context)
    {
        context.Wait(MessageReceivedAsync);
        return Task.CompletedTask;
    }

    private async Task MessageReceivedAsync(IDialogContext context, IAwaitable<object> result)
    {
        var activity = await result as IMessageActivity;
        await context.PostAsync($"카카오톡 회원님~ 안녕하세요?");
        context.Wait(SecondMessageReceivedAsync);
    }

    private async Task SecondMessageReceivedAsync(IDialogContext context, IAwaitable<object> result)
    {
        var activity = await result as IMessageActivity;
        await context.PostAsync($"두번째 입력메시지는 {activity.Text}입니다.");
        //context.Wait(ThirdMessageReceivedAsync);
    }
}
```

[그림 4-99] 카카오플러스 챗봇 다이얼로그 구현하기

3 Messages Controller의 기능을 수정합니다.

- 사용자 메시지 처리 POST 메소드의 루트 다이얼로그를 미용실 루트 다이얼로드 에서 KaKaoPlusBotDialog로 변경합니다.
- 환영인사 메시지 처리부분을 주석처리합니다.

```
/// <summary>
/// POST: api/Messages
/// Receive a message from a user and reply to it
/// </summary>
public async Task<HttpResponseMessage> Post([FromBody]Activity activity)
{
    if (activity.GetActivityType() == ActivityTypes.Message)
    {
        await Conversation.SendAsync(activity, () => new Dialogs.KaKaoPlusBotDialog());
    }
    else
    {
        HandleSystemMessage(activity);
    }
    var response = Request.CreateResponse(HttpStatusCode.OK);
    return response;
}
```

[그림 4-100] 초기 다이얼로그 변환하기

```
private Activity HandleSystemMessage(Activity message)
{
    string messageType = message.GetActivityType();
    if (messageType == ActivityTypes.DeleteUserData)
    {
        // Implement user deletion here
        // If we handle user deletion, return a real message
    }
    else if (messageType == ActivityTypes.ConversationUpdate)
    {
        //챗봇이 먼저 대화를 건다.
        //if (message.MembersAdded.Any(o => o.Id == message.Recipient.Id))
        //{
        //    var reply = message.CreateReply("안녕하세요.\n\n 비긴메이트 헤어살롱 예약 도우미 챗봇입니다.^^");
        //    ConnectorClient connector = new ConnectorClient(new Uri(message.ServiceUrl));
        //    connector.Conversations.ReplyToActivityAsync(reply);
        //}
    }
    else if (messageType == ActivityTypes.ContactRelationUpdate)
    {
        // Handle add/remove from contact lists
        // Activity.From + Activity.Action represent what happened
    }
    else if (messageType == ActivityTypes.Typing)
    {
        // Handle knowing that the user is typing
    }
    else if (messageType == ActivityTypes.Ping)
    {
    }
    return null;
}
```

[그림 4-101] 환영인사 제거하기

4 카카오톡 플러스의 메시지 중계서비스를 담당할 ASP.NET MVC 컨트롤러를 추가합니다.

- Controllers 폴더에 오른쪽 마우스 클릭 > 추가 > 컨트롤러 > 최상단 MVC5 Controller – Empty 템플릿을 선택하고 컨트롤러 이름을 Keyboard Controller로 입력 후 추가합니다.
- KeyboardController.cs를 아래와 같이 코딩합니다.

```csharp
using System;
using System.Collections.Generic;
using System.Linq;
using System.Web;
using System.Web.Mvc;

namespace ChatBotApplication.Controllers
{
    public class KeyboardController : Controller
    {
        public ActionResult Index()
        {
            Keyboard keyboard = new Keyboard();

            keyboard.type = "buttons";
            keyboard.buttons = new string[] { "인사", "대화" };

            return Json(keyboard, JsonRequestBehavior.AllowGet);
        }
    }

    public class Keyboard
    {
        public string type { get; set; }
        public string[] buttons { get; set; }
    }
}
```

[그림 4-102] 카카오플러스 중계 API Keybord API 구현하기

5 챗봇 프로젝트에 MVC5 컨트롤러 추가 후 반드시 프로젝트 루트에 있는 Global. aspx 파일 하단에 아래코드를 추가합니다.

```
using Microsoft.Bot.Builder.Dialogs.Internals;
using Autofac;
using Microsoft.Bot.Connector;
using System.Reflection;
using System.Web.Mvc;
using System.Web.Routing;
using System.Web.Optimization;

namespace ChatBotApplication
{
    public class WebApiApplication : System.Web.HttpApplication
    {
        protected void Application_Start()
        {
            GlobalConfiguration.Configure(WebApiConfig.Register);

            Conversation.UpdateContainer(
                builder =>
                {
                    builder.RegisterModule(new AzureModule(Assembly.GetExecutingAssembly()));

                    // Bot Storage: Here we register the state storage for your bot.
                    // Default store: volatile in-memory store - Only for prototyping!
                    // We provide adapters for Azure Table, CosmosDb, SQL Azure, or you can implement your own!
                    // For samples and documentation, see: [https://github.com/Microsoft/BotBuilder-Azure](https://github.com/Microsoft/BotBuilder-Azure)
                    var store = new InMemoryDataStore();

                    // Other storage options
                    // var store = new TableBotDataStore("...DataStorageConnectionString..."); // requires Microsoft.BotBuilder.Azure Nuget package
                    // var store = new DocumentDbBotDataStore("cosmos db uri", "cosmos db key"); // requires Microsoft.BotBuilder.Azure Nuget package

                    builder.Register(c => store)
                        .Keyed<IBotDataStore<BotData>>(AzureModule.Key_DataStore)
                        .AsSelf()
                        .SingleInstance();
                });

            //MVC 설정을 하단에 추가합니다.
            AreaRegistration.RegisterAllAreas();
            RouteConfig.RegisterRoutes(RouteTable.Routes);
            FilterConfig.RegisterGlobalFilters(GlobalFilters.Filters);
            BundleConfig.RegisterBundles(BundleTable.Bundles);
        }
    }
}
```

[그림 4-103] 카카오플러스 중계용 ASP.NET MVC 프로젝트 전역정보 설정하기

6 카카오톡 플러스와의 챗봇의 메시지 중계기능을 담당할 MessageController를 Controllers 폴더에 추가합니다

- Controllers 폴더에 오른쪽 마우스 클릭 > 추가 > 컨트롤러 > 최상단 MVC5 Controller − Empty 템플릿을 선택하고 컨트롤러 이름을 Message Controller로 입력 후 추가합니다.
- MessageController.cs를 아래와 같이 코딩합니다.
- directLineSecret: Azure 포털의 WebAppBot 서브 메뉴중 채널 메뉴를 클릭하고 WEB CHAT 편집을 클릭해 암호키 표시를 클릭해 표시된 암호키 값을 입력합니다.
- botId: Azure 포털의 WebAppBot 서브 메뉴중 애플리케이션 설정 옵션중 BotID값을 입력합니다.
- fromUser: 임의의 사용자 아이디를 입력합니다.

```
using System.Collections.Generic;
using System.Linq;
using System.Web;
using System.Web.Mvc;

using Microsoft.Bot.Connector.DirectLine;
using System.Threading.Tasks;
using System.Configuration;

namespace ChatBotApplication.Controllers
{
    public class MessageController : Controller
    {
        private string directLineSecret = "IOS8bJSeGj8.cwA.Sbc.Pfz3ItSPq85TJvcxq74ioK7d7awIrtqE7e-3aoWzD6U";
        private string botId = "BeginmateBotService";
        private string fromUser = "DirectLineSampleClientUser";

        private Conversation Conversation = null;
        DirectLineClient Client = null;
```

```
// GET: Message
public async Task<ActionResult> Index(string user_key, string type, string content)
{
    Client = new DirectLineClient(directLineSecret);

    if (Session["cid"] as string != null)
    {
        this.Conversation = Client.Conversations.ReconnectToConversation((string)Session["CONVERSTAION_ID"]);
    }
    else
    {
        this.Conversation = Client.Conversations.StartConversation();

        Session["cid"] = Conversation.ConversationId;
    }

    Activity userMessage = new Activity
    {
        From = new ChannelAccount(fromUser),
        Type = ActivityTypes.Message,
        Text = content
    };

    await Client.Conversations.PostActivityAsync(this.Conversation.ConversationId, userMessage);

    //메시지를 받는 부분
    string watermark = null;

    while (true)
    {
        var activitySet = await Client.Conversations.GetActivitiesAsync(Conversation.ConversationId, watermark);
        watermark = activitySet?.Watermark;

        var activities = from x in activitySet.Activities
                         where x.From.Id == botId
                         select x;

        Message message = new Message();
        MessageResponse messageResponse = new MessageResponse();
        messageResponse.message = message;

        foreach (Activity activity in activities)
        {
            message.text = activity.Text;
        }

        return Json(messageResponse, JsonRequestBehavior.AllowGet);
    }
}
```

```
    public class MessageResponse
    {
        public Message message { get; set; }
    }

    public class Message
    {
        public string text { get; set; }
    }
}
```

[그림 4-104] 카카오플러스 중계용 메시지 API 구현하기

4장 챗봇 서비스 개발 | 227

7 카카오톡 플러스와 통신할 메시지 중계서비스가 모두 준비되었고 개발된 소스르 봇 서비스로 배포합니다.

- 봇 서비스로 관련 소스를 배포합니다.

8 카카오톡 플러스 친구 신청하기

카카오톡 플러스 친구 서비스를 네이버에서 조회 후 검색 결과 웹 사이트 분류의 플러스친구 관리자 센터 사이트로 접속합니다.

플러스친구 관리자센터: https://center-pf.kakao.com/login

[그림 4-105] 카카오플러스 메인페이지

9 플러스친구 관리자센터 로그인 하기

- 플러스친구 관리자센터 상단 메뉴의 플러스친구 만들기를 클릭합니다.

228

- 카카오 계정으로 먼저 로그인 합니다.

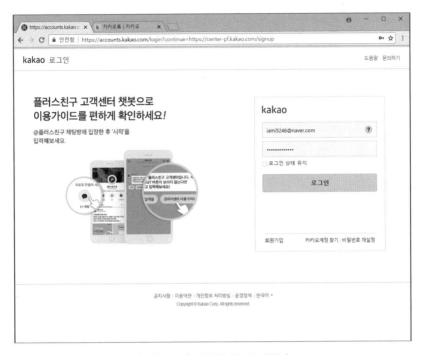

[그림 4-106] 카카오플러스 로그인하기

10 새 플러스친구 만들기

- 로그인 인후 관리자 센터 메인에서 새플러스 친구 만들기 버튼을 클릭합
니다.

[그림 4-107] 카카오플러스 친구 개설하기

11 플러스친구 개설하기

- 플러스 친구 가입정보를 입력합니다.
- 프로필 사진에 챗봇아이콘으로 사용할 jpg포맷 이미지를 첨부합니다.

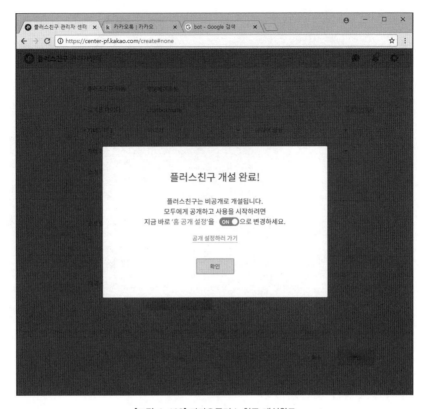

[그림 4-108] 카카오플러스 친구 개설완료

12 개설된 플러스 친구 챗봇 관련 설정하기

- 개설된 플러스 친구의 서비스 페이지 좌측 메뉴중 스마트 채팅 메뉴를 클릭
  합니다.
- API형의 설정하기 버튼을 클릭합니다.

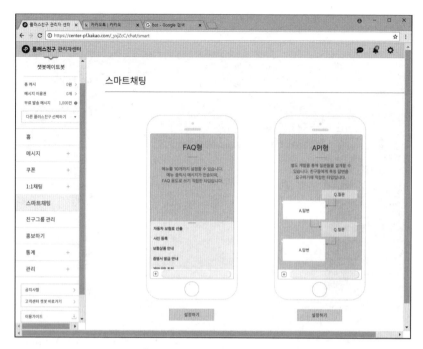

[그림 4-109] 카카오플러스 친구 스마트 채팅 설정하기

13 API형 정보 등록

- 앱이름: 영어로 관련 챗봇 이름을 입력합니다.
- 앱URL: 플러스 친구와 챗봇과의 메시지를 중계할 OPEN API 주소를 입력
  합니다.

  ex) https://eddyyourbot.azurewebsites.net

  s상기 챗봇의 중계서비스 주소는 Azure 포털 > 웹앱봇의 서브 메뉴 중 개
  요 메뉴의 내용중 EndPoint 주소의 호스트 도메인 주소입니다.

[그림 4-110] 카카오플러스 친구 스마트 채팅 API 설정하기

● 알림받을 전화번호: 서비스중 문제가 발생하면 알림을 받을 관리자 전화번호를 입력합니다.

[그림 4-111] 카카오플러스 친구 스마트 채팅 API 사용자 인증하기

- API 등록 후 반드시 아래화면의 시작하기 버튼을 클릭해 API 서비스를 시작합니다.

[그림 4-112] 카카오플러스 친구 스마트 채팅 시작하기

14 카카오톡 플러스 친구 개설 후 반드시 좌측 메뉴 관리메뉴를 클릭해 플러스친구 홈의 공개설정을 오픈하고 카카오톡을 실행후 상단 검색 부분에서 플러스 친구 명을 조회하면 하단 플러스친구 목록에 조회결과가 나타나며 해당 플러스친구의 1:1 채팅을 통해 챗봇과의 채팅이 이루어지는지 확인합니다.

[그림 4-113] 카카오플러스 친구 홈 공개하기

4.4 AI기반 챗봇 개발

아래 그림을 통해 챗봇을 둘러싼 다양한 기술 생태계를 확인해보도록 하겠습니다.

챗봇을 개발할 수 있는 다양한 개발환경 및 프레임워크, 지원 개발언어가 존재하며 보다 똑똑한 챗봇개발이 가능하게해주는 클라우드 기반 각종 인공지능 지원 서비스, 그리고 챗봇과 직접 메시지를 주고받으며 사용자의 UI, UX를 담당하는 채팅채널 서비스들이 존재합니다.

챗봇은 각종 채팅메신저 S/W 채널 뿐만 아니라 음성기반의 하드웨어 디바이스를 통해 인공지능과 챗봇과도 연결이 가능합니다.

챗봇 생태계 벤더사 및 개발기술들

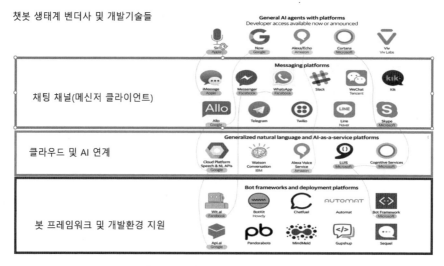

[그림 4-114] 챗봇 개발 생태계 구성도

4.4.1 Microsoft Cognitive Service

Microsoft Cognitive Services(인지 서비스)는 Microsoft Azure 클라우드 기반에서 제공하는 각종 인공지능 서비스를 OPEN API 기반으로 각종 애플리케이션에서 손쉽게 연결해 강력한 인공지능 기능을 애플리케이션에 접목할 수 있는 기능과 인프라 환경Microsoft Cognitive Services(인지 서비스)를 사용하면 컴퓨터 비전, 언어, 자연어 처리, 지식 추출 및 웹 검색 분야의 전문가가 개발 한 강력한 AI 알고리즘 컬렉션을 활용할 수 있습니다.

이 서비스는 다양한 AI 기반 작업을 단순화하여 몇 줄의 코드만으로 최신 인텔리전스 기술을 봇에 신속하게 추가 할 수 있는 방법을 제공하며 제공된 인지서비스 Open API는 대부분의 현대적인 개발언어, 애플리케이션 및 각종 플랫폼에 통합되는 환경을 제공합니다.

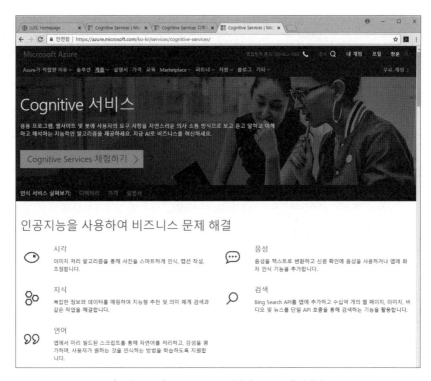

[그림 4-115] Azure Cognitive(인지) Serivce 홈페이지

인지서비스 API는 끊임없이 개선되고 학습되며 더 똑똑해 지므로 항상 최신상태 경
험을 유지하며 지능형 봇은 사람들이 볼 때 세상을 볼 수 있는 것처럼 반응합니다.
그들은 정보를 찾고 다양한 출처의 지식을 추출하여 유용한 답변을 제공하며, 무엇
보다도 자신의 역량을 지속적으로 향상시키기 위해 더 많은 경험을 쌓으면서 배울
수 있도록 설계되었습니다.

언어에 대한 이해기능

사용자와 봇 간의 상호 작용은 대부분 자유 형식이므로 봇은 언어를 자연스럽게 상
황에 따라 이해해야합니다.

Cognitive Service Language API는 사용자가 원하는 것을 결정하고, 주어진 문장에서 개념과 엔티티를 식별하고 궁극적으로 봇이 적절한 조치로 응답할 수 있도록 하는 강력한 언어 모델을 제공합니다.

다섯 가지 API는 맞춤법 검사, 감정 탐지, 언어 모델링, 텍스트에서 정확하고 풍부한 통찰력 추출 등의 여러 텍스트 분석 기능을 지원합니다.

Cognitive Service(인지 서비스)는 언어 이해를위한 다섯 가지 API를 제공합니다.

- 언어 이해 지능형 서비스 (LUIS): 사전 빌드 된 언어 또는 사용자 지정 언어 모델을 사용하여 자연 언어를 처리할 수 있습니다.
- Text Analytics API: 텍스트에서 정서, 핵심 구, 주제 및 언어를 감지합니다.
- Bing Spell Check API: 강력한 맞춤법 검사 기능을 제공하며 이름, 브랜드 이름 및 속어의 차이를 인식할 수 있습니다.
- Linguistic Analysis API: 고급 언어 분석 알고리즘을 사용하여 텍스트를 처리하고 텍스트 구조를 분해하거나 품사 태그 지정 및 구문 분석과 같은 작업을 수행합니다.
- 웹 언어 모델 (WebLM) API: 고급 언어 모델링 알고리즘을 사용하여 단어 빈도 또는 다음 단어 예측과 같은 다양한 자연 언어 처리 작업을 자동화하는 데 사용할 수 있습니다.

지식추출 기능

Cognitive Service(인지 서비스)는 구조화되지 않은 텍스트의 명명된 엔티티 또는 구문을 식별하고, 개인화 된 권장 사항을 추가하고, 사용자 쿼리의 자연스러운 해석에 따라 자동 완성 제안을 제공하고, 개인화 된 FAQ 서비스와 같은 학술 논문 및 기타 연구를 검색할 수 있게 해주는 다섯 가지 지식 API를 제공합니다.

- Entity Linking Intelligence Service: 구조화되지 않은 텍스트에 텍스트에 언급된 관련 엔터티를 주석으로 표시합니다. 문맥에 따라 같은 단어 나 문구가 다른 것을 나타낼 수도 있습니다. 이 서비스는 제공된 텍스트의 컨텍스트를 이해하고 텍스트의 각 항목을 식별합니다.

- Recommendations API: 제품에 대해 자주 구입하는 권장 사항과 사용자의 기록을 기반으로 한 맞춤형 권장 사항을 제공합니다. 이 서비스를 사용하여 제공한 데이터를 기반으로 모델을 작성하고 교육 한 다음이 모델을 사용하여 응용 프로그램에 권장 사항을 추가하십시오.

- Knowledge Exploration Service: 사용자 쿼리에 대한 자연어 해석을 제공하고 사용자가 입력하는 내용을 예상하는 풍부한 검색 및 자동 완성 경험을 가능하게하는 주석 된 해석을 반환합니다. 즉석 쿼리 완료 제안 및 예측 쿼리 구체화는 사용자가 빠른 쿼리를 수행할 수 있도록 자신의 데이터 및 응용 프로그램 관련 문법을 기반으로합니다.

- Academic Knowledge API: Microsoft Academic Graph에서 학술 연구 논문, 저자, 저널, 회의, 주제 및 대학을 반환합니다. Knowledge Exploration Service의 도메인 별 예제로 제작된 Academic Knowledge API는 수억 개의 연구 관련 엔터티를 검색할 수 있는 그래프 모양의 대화 상자를 사용하여 지식 기반을 제공합니다. 주제, 교수, 대학 또는 컨퍼런스를 검색하면 API가 관련 출판물 및 관련 단체를 제공합니다. 문법은 "2010년 이후 기계 학습에 관한 Michael Jordan의 논문"과 같은 자연어 쿼리도 지원합니다.

- QnA Maker: 자연스럽고 대화식으로 사용자의 질문에 대답하도록 AI를 교육하는 무료, 사용하기 쉬운 REST API 및 웹 기반 서비스입니다. QnA Maker는 최적화된 기계 학습 논리와 업계 최고 수준의 언어 처리 기능을 통합하여 질문 및 답변 쌍과 같은 반 구조화 된 데이터를 명확하고 유용한 답변으로 추출합니다.

음성인식 및 변환 기능

Speech API를 사용하면 대화 음성을 문자로 또는 문자를 음성으로 변환하거나 스피커에서 나오는 음성 인식을 위한 업계 최고 수준의 알고리즘을 활용하는 고급 음성 기술을 봇에 추가할 수 있습니다.

Speech API는 내장된 언어 및 음향 모델을 사용하여 다양한 시나리오를 매우 정확하게 처리합니다.

추가 사용자 지정이 필요한 응용 프로그램의 경우 사용자 지정 인식 인텔리전트 서비스 (CRIS)를 사용할 수 있습니다.

이를 통해 음성 인식기의 언어 및 어쿠스틱 모델을 응용 프로그램의 어휘 또는 사용자의 말하기 스타일에 맞게 조정하여 보정할 수 있습니다.

음성을 처리하거나 종합하기 위해 인지 서비스에서 사용할 수 있는 세 가지 Speech API가 있습니다.

- Bing Speech API: 음성 대 텍스트 및 텍스트 음성 변환 기능을 제공합니다.
- CRIS (Custom Recognition Intelligent Service): CRIS를 사용하면 음성에서 텍스트로 변환을 응용 프로그램의 어휘 또는 사용자의 말하기 스타일에 맞게 사용자 지정 음성 인식 모델을 만들 수 있습니다.
- Speaker Recognition API는 음성으로 화자를 식별하고 확인할 수 있습니다.

다음 리소스는 봇에 음성 인식을 추가하는 방법에 대한 추가 정보를 제공합니다.

- Apps 용 봇 대화 비디오 개요
- UWP 또는 Xamarin 응용 프로그램 용 Microsoft.Bot.Client 라이브러리
- 봇 클라이언트 라이브러리 샘플

- 음성 지원 WebChat 클라이언트

웹 검색기능

Bing Search API를 사용하면 지능형 웹 검색 기능을 봇에 추가 할 수 있습니다.

몇 줄의 코드를 사용하면 수십억 개의 웹 페이지, 이미지, 비디오, 뉴스 및 기타 결과 유형에 액세스 할 수 있습니다.

지리적 위치, 시장 또는 언어별로 결과를 반환하도록 API를 구성하여 관련성을 높일 수 있습니다.

성인용 콘텐츠를 걸러 내기 위해 Safe Search와 같은 지원되는 검색 매개 변수를 사용하고 특정 날짜에 따라 결과를 반환하는 신선도를 사용하여 검색을 추가로 사용자 정의 할 수 있습니다.

인지 서비스에는 5 가지 Bing Search API가 있습니다.

- 웹 검색 API: 단일 API 호출로 웹, 이미지, 비디오, 뉴스 및 관련 검색 결과를 제공합니다.
- 이미지 검색 API: 향상된 메타 데이터 (주요 색상, 이미지 종류 등)를 사용하여 이미지 결과를 반환하고 여러 이미지 필터를 지원하여 결과를 사용자 정의합니다.
- 비디오 검색 API: 풍부한 메타 데이터 (비디오 크기, 품질, 가격 등), 비디오 미리보기가있는 비디오 결과를 검색하고 결과를 사용자 정의할 수 있는 몇 가지 비디오 필터를 지원합니다.
- 뉴스 검색 API: 검색어와 일치하거나 현재 인터넷에서 인기 급상승중인 전 세계의 뉴스 기사를 찾습니다.
- Autosuggest API: 즉각적인 쿼리 완료 제안을 제공하여 검색 쿼리를보다 신속하게 수행하고 타이핑 횟수를 줄입니다.

이미지 및 비디오 이해기능

Vision API는 고급 이미지 및 비디오 이해 기술을 봇에 제공합니다.

최첨단 알고리즘을 사용하면 이미지 나 비디오를 처리하고 작업으로 변환할 수 있는 정보를 얻을 수 있습니다.

예를 들어, 물건, 사람의 얼굴, 나이, 성 또는 심지어 감정을 인식하는 데 사용할 수 있습니다.

Vision API는 다양한 이미지 이해 기능을 지원합니다.

성숙한 내용이나 명시적인 내용을 식별하고, 예상 색상을 강조하고, 이미지의 내용을 분류하고, 광학 문자 인식을 수행하고, 완전한 영어 문장으로 이미지를 설명할 수 있습니다.

Vision API는 또한 지능적으로 이미지 또는 비디오 축소판을 생성하거나 비디오 출력을 안정화하는 것과 같은 여러 이미지 및 비디오 처리 기능을 지원합니다. 인지 서비스는 이미지 또는 비디오를 처리하는 데 사용할 수 있는 네 개의 API를 제공합니다.

- Computer Vision API: 이미지 (예: 객체 또는 사람)에 대한 풍부한 정보를 추출하고 이미지에 성숙한 내용 또는 노골적인 내용이 포함되어 있는지 확인하고 이미지에서 텍스트 (OCR 사용)를 처리합니다.
- 감정 API: 인간의 얼굴을 분석하고 가능한 8 가지 범주의 인간 감정을 통해 감정을 인식합니다.
- Face API: 사람의 얼굴을 탐지하여 유사한 얼굴과 비교하며 시각적 유사성에 따라 사람들을 그룹으로 구성할 수도 있습니다.
- 비디오 API: 비디오를 분석 및 처리하여 비디오 출력을 안정화하고 동작을 감지하며 얼굴을 추적하고 비디오의 모션 축소판 요약을 생성할 수 있습니다.

추가 리소스

Cognitive Services 문서에서 각 제품 및 해당 API 참조에 대한 포괄적 인 설명서를 찾을 수 있습니다.

4.4.2 자연어 처리(LUIS) 서비스 활용

이번 시간에는 Language Understanding(LUIS) 자연어 처리 인공지능 기능을 챗봇에 연동하기 위한 LUIS 무료평가판 서비스를 신청하고 LUIS APP을 생성하고 각종 사용자 의도(INTENT) 키워드를 입력 후 MACHINE LEARNING(기계학습)과정을 통해 사용자 메시지의 의도를 파악할 수 있게 훈련시킨 후 학습된 내용을 OPEN API 서비스로 제공하여 챗봇과 연동하는 방법을 알아보겠습니다.

1 구글에서 cognitive service 라고 입력하고 검색합니다.

[그림 4-115] Microsoft Cognitive 구글 검색

2 Microsoft Cognitive 서비스 소개페이지가 오픈됩니다.

https://azure.microsoft.com/ko-kr/services/cognitive-services/

- 화면하단의 언어 링크를 클릭합니다.

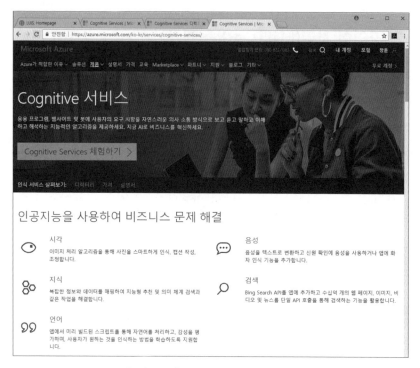

[그림 4-116] Microsoft Cognitive 홈페이지

3 언어 메뉴 하단의 Language Understanding(LUIS) 메뉴를 클릭합니다.

[그림 4-117] Microsoft Cognitive 언어서비스

4 Language Understanding 서비스 소개 페이지의 중간의 무료평가판 메뉴를 클릭해 무료 평가 서비스 신청 페이지로 이동합니다.

- Microsoft 계정으로 로그인합니다.

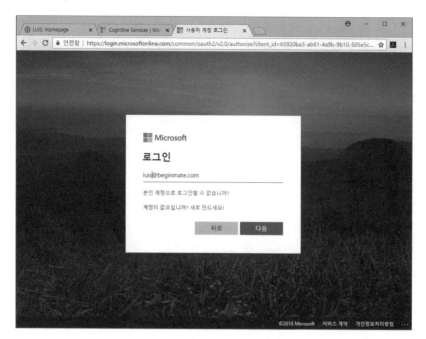

[그림 4-118] Microsoft 계정 로그인

5 사용자 정보 동의 화면에 예를 클릭합니다.

[그림 4-119] LUIS 서비스 신청 사용자 동의

6 LUIS 소개 홈페이지가 나옵니다.

- 화면 로딩이 늦으면 F5 키를 눌러 화면을 재로드합니다.

LUIS 소개 홈페이지

https://www.luis.ai/welcome

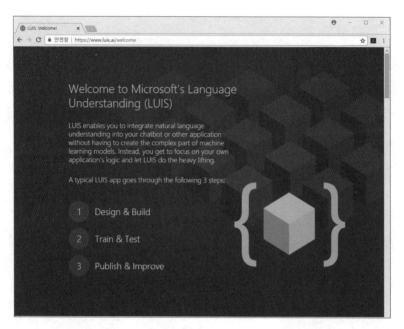

[그림 4-120] LUIS 소개 홈페이지

7 LUIS APP 생성화면 이동하기

- 화면 하단의 Create LUIS app버튼을 클릭합니다.

[그림 4-121] LUIS App 신청버튼 확인하기

8 국가와 사용자 동의항목을 체크후 Contiue 버튼을 클릭합니다.

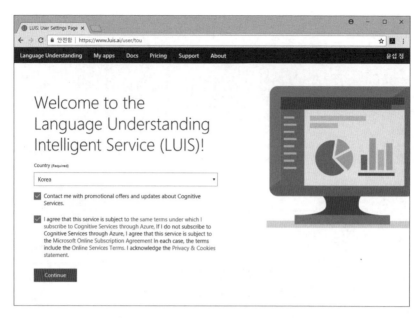

[그림 4-122] LUIS App 서비스 사용자 동의하기

9 My Apps 화면에서 Create new app 버튼을 클릭해 신규 LUIS app을 생성을
진행합니다.

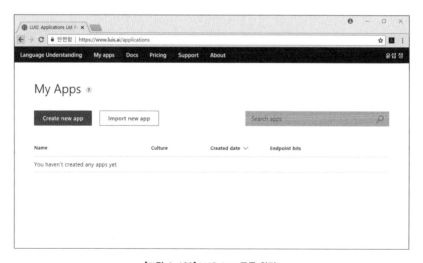

[그림 4-123] LUIS App 목록 화면

10 테스트용 LUIS 앱을 생성합니다.

- Name: 영어로 LUIS 앱명을 입력합니다.
- Culuter: 사용 언어를 선택합니다. (Korean)
- Description: APP 설명내용을 입력합니다.

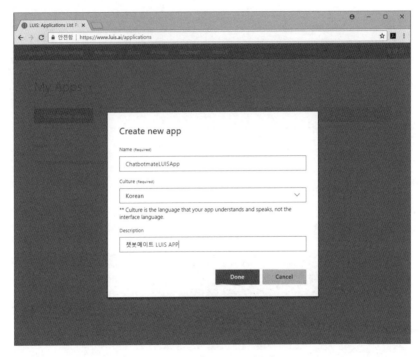

[그림 4-124] LUIS App 만들기

11 생성된 LUIS App내에 다양한 종류의 사용자 Intent(의도) 분석용 키워드를 생성합니다.

- 사용자 의도(Intent) 키워드는 사용로부터 전달되는 메시지내 키워드들을 분석해 사용자 의도(Intent) 키워드의 서브 키워드들로 등록된 다양한 단어들을 기계학습시킨 결과를 이용해 사용자 메시지에서 등록된 다양한 사용자 의도(Intent)를 도출하기 위한 목적으로 사용됩니다.

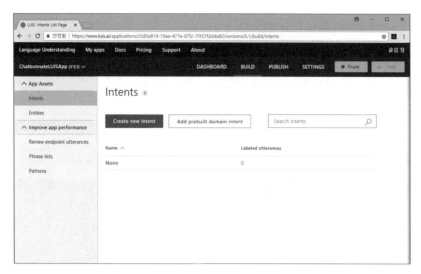

[그림 4-125] LUIS App Intent 목록보기

- Create new Intent 버튼을 클릭하고 신규 Intent 키워드를 등록합니다.

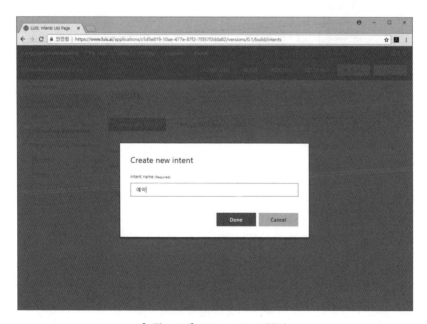

[그림 4-126] LUIS App Intent 만들기

12 등록 Intent에 해당 인텐트를 연상시킬수 있는 주요 5가지 서브 타입 키워드 하나씩 입력 후 엔터키를 칩니다.

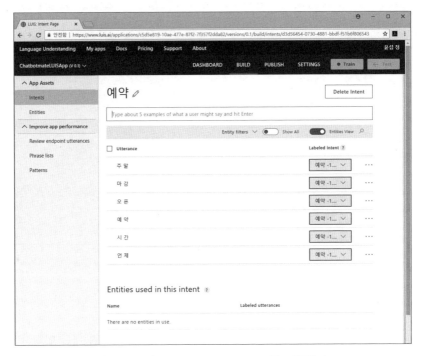

[그림 4-127] LUIS App Intent Sub Type 키워드 등록하기

13 상단 Train 버튼을 클릭하여 해당 Intents에 대해 기계학습을 실행시킵니다.

- 상단 빨간색 Train 버튼을 클릭하면 입력된 서브 키워드를 기반으로하는 Machine Learning(기계학습)이 작동되며 기계학습을 이용한 훈련이 종료되면 Train 버튼 색상이 초록색으로 변경됩니다.

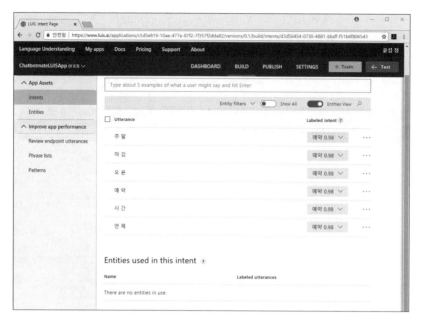

[그림 4-128] LUIS App ML(머신러닝) 학습시키기

14 상단 Test 버튼을 클릭하여 학습내용을 테스트합니다.

- 언제 미용실 가면 머리를 할 수 있나요? 문장을 입력 후 엔터를 입력하면 문장에서 사용자 의도를 파악해 기존에 등록한 Intent와의 적합도를 수치로 표시해주고 질문문장(검정색블럭)을 클릭하면 옆으로 세부적인 분석결과를 보여줍니다.
- 다양한 종류의 테스트용 사용자 입력 메시지를 입력 후 테스트를 진행해보세요.

254

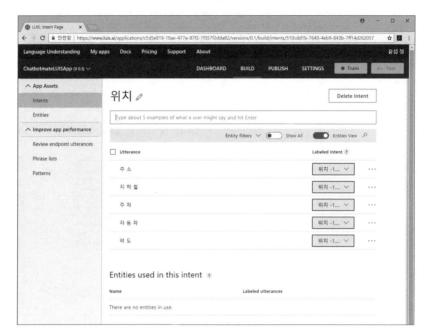

[그림 4-129] LUIS App 테스트하기

[15] 위치 Intent를 신규로 등록합니다.

- 위치 Intent의 목적은 사용자가 미용실의 위치나 찾아가는길을 물어보는경
  우 위치와 약도를 보여주기 위한 사용자의 의도를 파악하는 목적으로 사용
  됩니다.
- 서브 타입 키워드로는 주소, 지하철, 주차, 자동차, 약도등을 입력합니다.
- 상단의 Train 버튼을 클릭하고 완료 후 Test를 진행합니다.

[그림 4-129] LUIS App 추가 Intent 등록하고 테스트하기

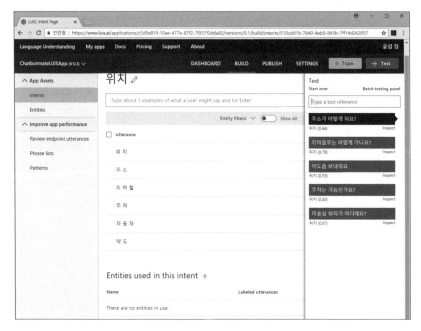

[그림 4-130] LUIS App 위치 인텐트 테스트하기

16 설정된 Intents를 OPEN API방식을 외부에 노출하기 위해 PUBLISH 버튼을 클릭해 LUIS App을 게시합니다.

- 상단 메뉴중 PUBLISH 버튼을 클릭합니다.
- 미국 서부 지역만 2018년 07월 현재 지원됩니다.

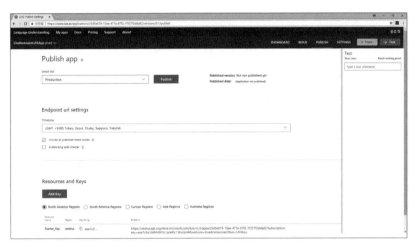

[그림 4-131] LUIS App 게시하기

17 LUIS APP이 게시되고 접속주소인 EndPoint 주소와 접속 인증키를 확인합니다.

- 게시가 완료되면 화면내 게시버튼 옆에 게시일자가 갱신됩니다.
- LUIS Application ID: c5d5e819-10ae-477e-87f2-7f357f2dda82
- 구독키(subscription-key): eee7c9a1669449f1b1adef6c13ba5b49
- 외부 접속 EndPoint 주소:

  https://westus.api.cognitive.microsoft.com/luis/v2.0/apps/
  c5d5e819-10ae-477e-87f2-7f357f2dda82?subscription-key=eee7c
  9a1669449f1b1adef6c13ba5b49&verbose=true&timezoneOffset=540
  &q=

- EndPoint 주소의 QueryString 파라미터 키값중 "q" 의 값에 사용자 메시

지가 전달됩니다.

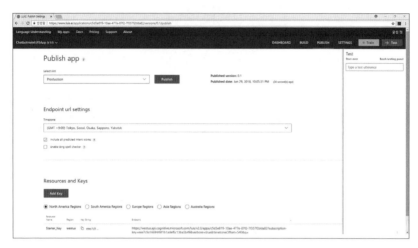

[**그림 4-132**] LUIS App 설정하기

18 LUIS App 호출 테스트하기

- 브라우저를 오픈하고 주소란에 EndPoint주소를 입력하고 q=파라미터에
  문장을 입력 후 호출합니다.
  https://westus.api.cognitive.microsoft.com/luis/v2.0/apps/c5d
  5e819-10ae-477e-87f2-7f357f2dda82?subscription-key=eee7c9
  a1669449f1b1adef6c13ba5b49&verbose=true&timezoneOffset=540
  &q=예약할 수 있나요?

- 호출 후 JSON 포맷으로 데이터가 아래와 같이 출력되면 정상적으로 외부에
  서 OPEN API 호출방식으로 주소를 호출시 상호간 통신이 가능하며 해당
  주소를 이용해 챗봇에서 사용자 메시지를 전달합니다.

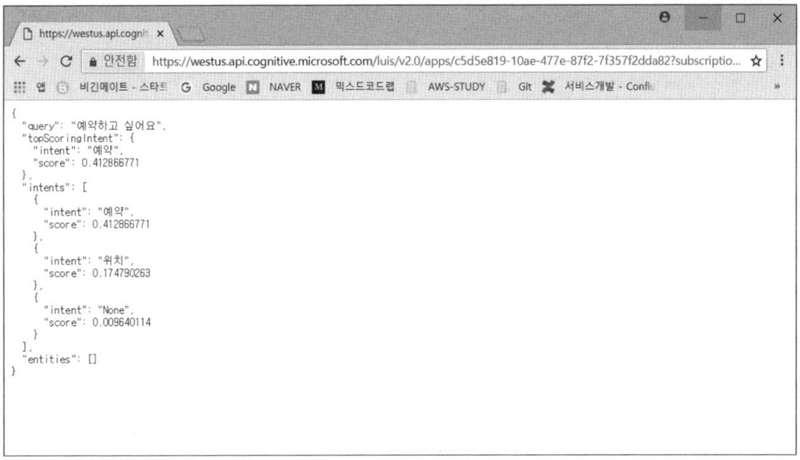

```
{
  "query": "예약하고 싶어요",
  "topScoringIntent": {
    "intent": "예약",
    "score": 0.412866771
  },
  "intents": [
    {
      "intent": "예약",
      "score": 0.412866771
    },
    {
      "intent": "위치",
      "score": 0.174790263
    },
    {
      "intent": "None",
      "score": 0.009640114
    }
  ],
  "entities": []
}
```

[그림 4-133] LUIS App 테스트하기

19 챗봇에서 LUIS App을 호출하고 테스트합니다.

- 미용실 예약 챗봇 초반 시나리오에서 회원여부 사용자 답변 처리 메소드인 HelpReplyReceivedAsync()내 Else 분기문내 사용자 메시지 의도 파악 실패시 재질문을 요청했던 메소드인 '//await this.Message ReceivedAsync(context, null);' 해당구문을 주석처리하고 LUIS APP을 호출하여 사용자 의도를 파악하는 기능을 호출하게 변경합니다.

```
/// <summary>
/// Step2. 회원여부 사용자 답변 분석하기
/// </summary>
/// <param name="context"></param>
/// <param name="result"></param>
/// <returns></returns>
private async Task HelpReplyReceivedAsync(IDialogContext context, IAwaitable<object> result)
{
    //1.채널로부터 전달된 Activity 파라메터 수신
    var activity = await result as Activity;

    //2.대화 로직처리하기
    if (activity.Text.ToLower().Equals("yes") == true || activity.Text.ToLower().Equals("y") || activity.Text.Equals("예"))
    {
        //2.1 서비스 유형 선택 요청
        await this.ConfirmServiceTypeMessageAsync(context);
    }
    else if (activity.Text.ToLower().Equals("no") == true || activity.Text.Equals("아니오") == true )
    {
        //2.2 신규회원가입 다이얼로그 전환
        context.Call(new MembershipDialog(), ReturnRootDialogAsync);
    }
    else
    {
        //다시 이전 질문하기
        //await this.MessageReceivedAsync(context, null);

        //자연어 처리 LUIS APP호출 사용자 의도 파악하기
        await this.GetLUISIntentAsync(context, result);
    }
}
```

[그림 4-130] 챗봇에 LUIS App연동하기

20 LUIS App에서 제공하는 EndPoint 주소를 호출하고 추천되는 사용자 인텐트를 기반으로 챗봇 시나리오를 계속 진행합니다.

- HttpClient 클래스는 C#에서 RESTful 서비스를 호출할 사용하는 클래스입니다.

- LUIS App에서 제공하는 EndPoint 주소정보에 채널로부터 전달된 사용자 메시지를 "&q=" 파라미터에 추가하여 추천 인텐트 결과 값을 호출합니다.

- 호출 결과값은 JSON포맷으로 제공되며 제공된 JOSON값을 LuisResult 모델 클래스로 JsonConverter를 이용해 변환 후 여러 개의 인텐트중 적합도 가장높게 판단된 추천 인텐트인 TopScoringIntent값을 추출해 사용자 의도를 파악 후 인텐트별 관련 챗봇 메시지를 사용자에게 전달해 시나리오를 지속합니다.

260

```
/// <summary>
/// 자연어처리(LUIS) 를 이용한 사용자 의도 파악
/// </summary>
/// <param name="context"></param>
/// <param name="result"></param>
/// <returns></returns>
private async Task GetLUISIntentAsync(IDialogContext context, IAwaitable<object> result)
{
    var activity = await result as Activity;
    string intent = "테스트";

    var client = new HttpClient();
    var uri = "https://westus.api.cognitive.microsoft.com/luis/v2.0"
        +"/apps/c5d5e819-10ae-477e-87f2-7f357f2dda82?subscription-key=eee7c9a1669449f1b1adef6c13ba5b49&verbose=true&timezoneOffset=540"
        +"&q=" + activity.Text;
    var response = await client.GetAsync(uri);

    var strResponseContent = await response.Content.ReadAsStringAsync();

    LuisResult objResult  = JsonConvert.DeserializeObject<LuisResult>(strResponseContent);
    intent = objResult.TopScoringIntent.Intent;
    await context.PostAsync($"사용자 최적화된 의도는 {objResult.TopScoringIntent.Intent} 이고 적합도는 {objResult.TopScoringIntent.Score} 입니다.");

    switch(intent)
    {
        case "예약":
            await context.PostAsync($"바로 예약하시겠습니까?");
            //context.Wait(TobeContinuedReservationProcess);
            break;
        case "위치":
            await context.PostAsync($"위치와 약도를 안내해드릴까요?");
            //context.Wait(TobeContinuedContactUsProcess);
            break;
    }
}
```

[그림 4-131] 챗봇에 LUIS App연동 메시지 처리하기

지금까지 AZURE의 Cognitive Service의 언어 카테고리 서비스중 자연어처리 기능
을 이용해 챗봇에서 사용자 메시지의 의도를 파악해 좀더 자연스러운 대화흐름을

제어하는 방법에 대해 알아보았습니다.

CHAPTER

5

퍼블릭 클라우드 기반
서비스

5.1 클라우드 기반

5.1.1 클라우드 서비스

개발된 웹 채팅과 챗봇 애플리케이션을 서비스 하는 퍼블릭 클라우드 사용에 앞서 서비스되는 인프라 환경을 제공하는 클라우드에 대한 개념과 관련 기술들에 대해 잠시 언급해보도록 하겠습니다.

클라우드 컴퓨팅 또는 클라우드란 각종 클라우드 가상화 기술을 기반으로 IT 서비스 인프라 활용을 극대화하고 자동화하며 확산하는 컴퓨팅 기술을 통칭해 말합니다.

클라우드 가상화 기술

클라우드는 컴퓨터 가상화 기술을 기반으로 하드웨어의 활용을 극대화하는데 초점이 맞추어져 잇습니다.

대표적인 클라우드 가상화 기술에는 호스트 가상화 기술과 하이퍼바이저 기반 가상화 기술로 나닙니다.

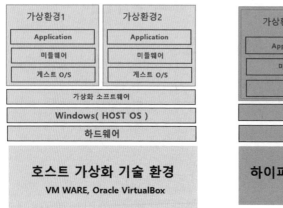 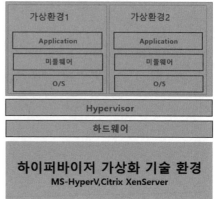

[그림 5-1] 클라우드 가상화 기술분류

호스트 가상화 기술은 물리적인 하드웨어 기반에 부모 O/S(호스트 O/S)를 설치하고 그위에 VMWare나 Oracle VirtualBox등의 호스트 가상화 소프트웨어를 설치 후 여러 개의 가상환경을 구축하며 가상환경마다 게스트 O/S가 추가설치되고 애플리케이션 서비스를 위한 미들웨어 및 추가적인 환경 구축이 이루어집니다.

이에 비해 하이퍼바이저 가상화 기술은 물리적인 하드웨어 기반에 부모 O/S 설치 없이 바로 MS AZURE의 경우 MS-HyperV, AWS의 경우 XenServer등의 하이퍼바이저 가상화 소프트웨어를 설치 후 가상환경을 구축하는 방식을 채택하고 있습니다. 하이퍼 바이저 가상화기술은 호스트 가상화 기술에 비해 호스트 O/S가 없어 성능적으로 우수하며 현재 AZURE,AWS등 Public Cloud의 가상화 기술로 활용되고 있습니다.

클라우드 서비스 유형

클라우드 기반에서 서비스되는 애플리케이션의 유형은 크게 아래와 같이 네 가지로 나눌수 있습니다.

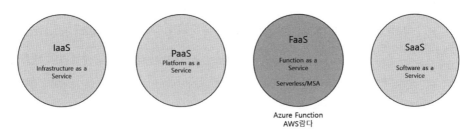

[그림 5-2] 클라우드 서비스 유형

- IaaS (Infrastructure-as-a-Service),

  서비스로서의 인프라를 말하며 말그대로 각종 애플리케이션 서비스를 위한 인프라를 손쉽게 서비스형태로 제공한다는 뜻이며 "이아쓰"라고 읽습니다. IaaS는 서버 운영을 위한 저장장치, 아이피, 네트워크, 전력 IT 인프라를 가상의 환경에서 쉽고 편하게 이용할 수 있게 서비스하는 것을 말합니다. IaaS는 가상화 기술을 이용해 하드웨어/네트워크 인프라의 빠른 생성 및 확장성을 제공하며 가상컴퓨터, 가상서버 라고 하는 형태로 서비스됩니다. IaaS에는 각종 가상서버, 가상 PC, 저장소, 네트워킹 등의 인프라뿐만 아니라 미들웨어, 개발 도구, BI(비즈니스 인텔리전스) 서비스, 데이터베이스 관리 시스템 등도 포함되어 있습니다.

  IaaS의 핵심은 HyperVisor 가상화 소프트웨어 기반에서 서버 하드웨어의 활용을 극대화하는 가상화 기술과 관리의 자동화에 있습니다. 요즘 IaaS는 가상화 기술기반에 인프라를 구축하는 방법으로 전통적인 On-Promise 방식과 상반되는 의미로 사용되고 있습니다.

  On-Promise 방식이란 과거 시스템 엔지니어를 통해 직접 물리적인 서버 하드웨어와 네트워크 인프라를 구축하고 단일 O/S를 서버에 설치하고 각종 어플케이션이 작동되기 위한 환경을 직접 세팅하던 전통적인 방식을 말합니다.

- PaaS (Platform-as-a-Service)
  서비스로서의 플랫폼을 말하며 애플리케이션을 서비스하기 위한 모든 환경이 구축된 공간(플랫폼)에 개발소스를 배포만하면 추가적인 작업없이 바로 서비스가 이루어지고 사용자 트래픽에 따라 스케일이 자동으로 조절이 가능한 클라우드 서비스 방식이며 "파쓰"라 읽습니다.

  개발된 애플리케이션의 배포 및 서비스를 위한 각종 환경(플랫폼)을 제공하여 개발자는 개발에만 집중할 수 있으며 운영환경은 크게 신경쓰지 않아도 되어 IaaS기반보다 서비스 운영에 있어 훨씬 수월하고 확장성 있는 방식을 제공합니다.

- FaaS (Function-as-a-Service)
  FaaS는 서비스로서의 기능을 말하며 하나의 애플리케이션을 수많은 독립된 단일 기능(Function)으로 구분하여 설계하고 개발하여 클라우드 기반에서 서비스할 수 있는 환경을 제공합니다.

  전통적인 애플리케이션 개발 및 서비스는 애플리케이션을 구성하는 각종 기능들을 티어나 레이어로 구분하여 개발하고 하나의 기능을 제공하기 위해 모든 레이어나 티어에 종속된 모듈들이 모놀리스식으로 개발되어 서비스 되는 반면 FaaS는 MSA (Micro Service Architecture)기반으로 서비스의 독립된 기능 중심으로 설계하고 개발 및 서비스하는 방식을 채택하고 있으며 흔히 Serverless라고 표현하는 방식으로 서비스하고 있습니다.

  MSA(Micro Service Architecture)를 좀더 쉽게이해하려면 아래와 같은 시나리오를 생각하면 좋습니다. 일반적으로 하나의 애플리케이션(App)은 내

외부로 제공되는 수많은 기능(Funtion)들의 집합으로 만들어지고 서비스합니다.

비슷한 기능들을 여러 카테고리로 분류하여 메뉴와 기능을 분류하고 최대한 상호 의존도를 줄이지만 애플리케이션이란 큰틀에서 보면 개별기능들이 독립적으로 서비스되지는 못합니다.

결국 안정적인 서비스를 위해서는 전체 100개의 제공 기능중 20개 기능만 주로 80%정도 사용하고 나머지 80개의 기능은 20% 내외로 어쩌다 한번씩 사용하는 상황이 비일비재하며 안정적인 서비스를 위해 100%를 위한 전체 비용을 정기적으로 지불하는 아이러니한 상황에 빠집니다. 서비스를 개발하고 안정적이고 지속적으로 서비스를 운영하고 있다면 분명히 개발비용보다 운영비용이 더 크게 발생할것입니다.

위 어플케이션에서 100개의 기능중 실제 주로 사용하는 20개의 실제 서비스 비용만 지불하거나 실제 사용자로부터 사용되었을때만 비용을 지불한다면 서비스 비용을 획기적으로 줄일수 있지 않을까요?

또는 100개의 기능중 한 개의 기능에 문제가 있어 유지보수 나 재배포를 해야한다면 전통적인 모놀리스식 애플리케이션은 관련 애플리케이션 모듈을 전체를 배포 해야했지만 MSA 방식은 해당 기능만 배포하면 되는 장점이 있습니다.

실제 MSA, Serverless 기반으로 설계되고 개발된 기능들을 서비스해줄 수 있는 환경을 Azure클라우드에서는 Azure Function서비스라고 말하며 AWS에서는 Lamda서비스라고 말합니다.

챗봇서비스 또한 Funtion Service기반으로 개발 및 서비스하는 방법을 Bot Functions 라고 합니다.

- SaaS (Software-as-a-Service)

  서비스로서의 소프트웨어라 말하며 "싸스"라고 읽습니다.

  SaaS는 "on-demand software"로도 불리며, 소프트웨어 및 관련 데이터
  는 중앙에서 호스팅되고 사용자는 웹 브라우저 등의 클라이언트를 통해 접
  속하는 형태의 소프트웨어 서비스 모델입니다.

  클라우드 환경에서 동작하는 각종 응용프로그램을 서비스 형태로 제공하
  는 것을 말하며 우리나라에서는 흔히 빌려쓰는 소프트웨어로 유명한 KT
  비즈메카, 더존 ERP, 메일서비스등과 같은 ASP(Application Service
  Provider)서비스를 예로 들수 있으며 이미 완성되어 있는 소프트웨어를 사
  용자 계정 생성만 하면 사용기간만큼 비용을 내고 사용할 수 있는 상용소프
  트웨어 서비스를 말합니다.

5.1.2 Azure 클라우드 무료 서비스 신청

마이크로소프트사의 클라우드 서비스인 Azure 클라우드 서비스를 사용할 수 있는
방법들은 아래와 같이다양한 방법들이 존재합니다.

- 1개월 무료 평가판: 월 24만원 Azure 무료 크레딧 한달간 제공,무료체험
  고객
- MS Startups 회원: 스타트업 지원 프로그램 회원사
- 비주얼스튜디오 상용버전 사용자: Visual Studio 상용버전 구매고객
- MS 1달 패스권 소지자: 한달 사용 패스권, MS직원이 배포:사용가능 기한
  제한됨.
- Azure 유료 서비스 사용자

1 마이크로소프트 계정 만들기

- 아래 마이크로소프트 계정 만들기 사이트에 접속합니다.
- 이미 계정이 있다면 로그인하고 그렇지 않으면 만들기를 클릭 신규로 생성
  합니다. (https://www.microsoft.com/ko-kr/account)
- 신규회원 가입하려면 기존에 다른 사이트에서 사용중인 메일계정이 존재해
  야합니다.
- 마이크로소프트 계정으로 먼저 로그인합니다. (https://login.live.com)

[그림 5-3] Azure 무료평가판 신청하기

2 마이크로소프트 Azure 무료평가판 신청하기 사이트를 접속합니다.

- 무료 평가판 Azure 등록을 위해서는 인증을 위한 신용카드와 전화가 필요
  합니다.
- 마이크로소프트 Azure 사이트를 접속합니다.
  https://azure.microsoft.com/ko-kr/free/
- 화면에서 무료로 시작 버튼을 클릭합니다.

[그림 5-4] Azure 무료평가판 등록 사용자 정보입력하기

③ 무료평가판 등록화면 1단계 사용자정보를 입력합니다.

- 반드시 요청되는 ActiveX를 설치하기 바랍니다.
- 1단계 사용자 기본정보를 입력 후 다음을 클릭합니다.
- 전화번호는 010의 0을 제외한 10XXXXXXXX으로 입력합니다.

[그림 5-5] Azure 무료평가판 등록 SMS로 사용자 인증하기

4 2단계 전화로 ID검증 단계입니다.

- 이단계는 본인소유 전화번호로 본인 확인 전화인증하는절차입니다.
- 전화번호를 전체자릿수를 입력 후 텍스트메시지 보내기를 클릭합니다.
- 핸드폰에 SMS로 암호 6자리숫자가 전달되며 숫자를 화면에 입력하고 확인
  합니다.
- 전화번호는 010의 0을 제외한 10XXXXXXXX으로 입력합니다.

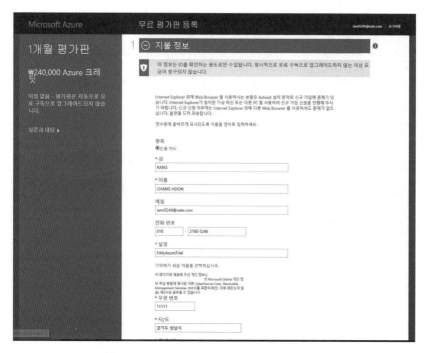

[그림 5-6] Azure 무료평가판 등록 지불정보 입력하기

5 3단계 지불정보 입력단계입니다.

- 무료서비스는 절대 실제 비용이 청구되지 않습니다.
- 유료서비스를 신청하는 사용자의 경우 매월 사용료가 결제전에 이단계에서 입력한 내용의 메일과 전화번호, 우편주소지로 결제청구 안내가 먼저 이루 어진후 등록된 신용카드로 자동결제되며 결제 이후에도 관련정보를 입력정 보로 안내받습니다.

272

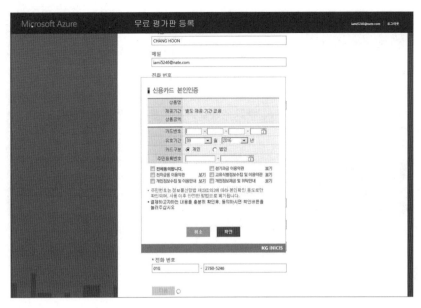

[그림 5-7] Azure 무료평가판 등록 신용카드 사용자 인증하기

6 신용카드와 공인인증서를 통한 본인 인증을 실시합니다.

- 사용자 동의 후 관련정보를 입력합니다.
- 설명란은 여러방법의 결제수단을 등록할때 구분코드로 사용됩니다. ex)
  EddyAzureTrial
- 빨간 * 표시 항목을 모두 입력 후 다음을 클릭합니다.
- 신용카드 정보 입력화면이 나오며 신용카드정보를 통해 무료 Azure 사용의
  사와 본인확인여부를 최종확인합니다.
  절대 비용이 결제가 되거나 청구되지 않습니다. **
- 정상적으로 인증이 완료되면 다음단계로 진행됩니다.

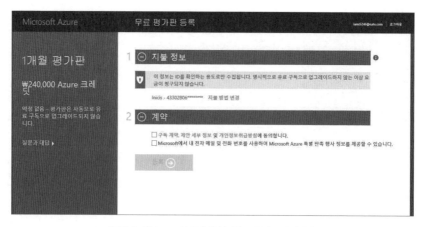

[그림 5-8] Azure 무료평가판 등록 구독정보 동의하기

7 4단계 지불정보확인 및 계약정보 최종확인단계입니다.

- 실제 지불은 안되지만 지불정보확인 및 지불방법을 변경할 수 있습니다.
- 계약관련해서 사용자 동의를 확인합니다.
- 등록버튼을 클릭하여 최종 무료평가판 등록을 완료합니다.

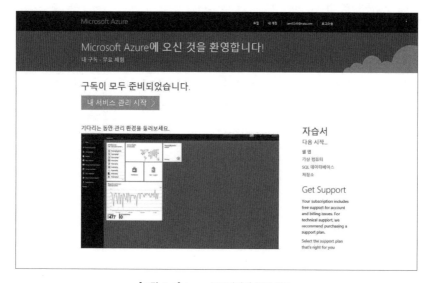

[그림 5-9] Azure 무료평가판 등록 완료

8 무료 구독 신청이 완료되었습니다.

- 1달 무료사용 Azure 구독권이 발급되어 Azure 포털 사이트 접속을 통해 Azure 서비스 사용이 가능해집니다.
- 내서비스 관리 시작 버튼을 클릭하여 Azure 포털 사이트로 이동합니다.

9 Azure 포털사이트로 이동합니다.

https://portal.azure.com

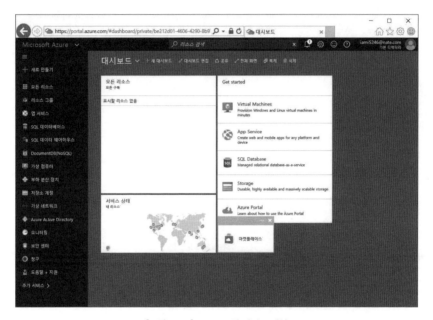

[그림 5-10] Azure 포털 사이트 메인

5.1.3 AWS 클라우드 무료 서비스 신청

이번엔 글로벌 퍼블릭 클라우드 시장의 1인자인 아마존 웹 서비스(AWS) 클라우드 서비스의 가입신청 방법을 알아보겠습니다.

[그림 5-11] 아마존 로고

1 네이버에서 아래처럼 아마존 웹 서비스라고 입력하고 검색하거나 http://aws. amazone.com 사이트를 직접 접속합니다.

- 아래 네이버 검색결과에서 AWS 1년 무료체험 시작하기를 클릭합니다.
- 요즘은 대부분 가입절차가 한글로 표기되오니 큰 부담 갖지 마시고 진행하 면됩니다.

[그림 5-12] 네이버 아마존웹 서비스 조회결과

2 AWS Free Tier (1년 무료 사용 프로그램) 소개 페이지입니다.

- AWS Free Tier 프로그램은 AWS 신규 회원 가입(무료) 사용자에게 1년간 AWS 클라우드 및 몇몇 서비스에 대해 무료 사용할 수 있게 해주는 무료 프로그램입니다.
- 화면 중간에 [AWS계정에 가입합니다] 또는 우측 [무료계정생성] 버튼을 클릭합니다.

[그림 5-13] AWS 프리티어 소개

3 기존 가입 고객은 가입당시 사용한 메일주소나 전화번호를 입력하고 암호 입력 후 로그인버튼을 클릭해 주시고 신규 고객은 새사용자입니다를 선택 후 보유하고 계신 이메일 주소를 입력하고 엔터를 쳐주세요.

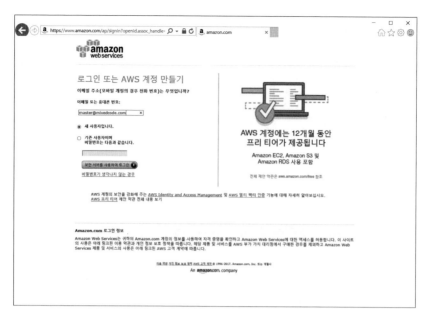

[그림 5-14] AWS 계정만들기 메일주소 입력

4 회원가입 기본정보를 입력 후 계정생성을 클릭합니다.

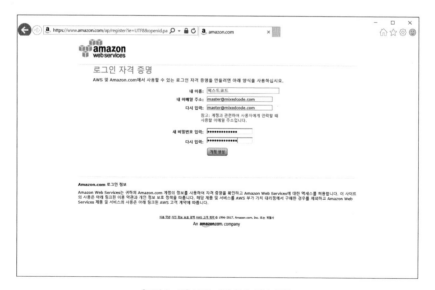

[그림 5-15] AWS 계정 주요 정보 등록

5 회사 또는 개인에 따른 사용자의 주요 정보를 입력합니다.

- 모두 입력 후 Create Account and Continue 버튼을 클릭합니다.

[그림 5-16] AWS 계정 사용자정보 저장

6 보유중인 신용카드 정보와 신용카드 보유자의 영문 이름을 입력합니다.

- 신용카드 정보는 추후 클라우드 기본 결제 정보로 활용되며 프리티어 무료
  서비스 신청 완료 후 1달러의 결제가 발생(실제청구됨) 하며 이후 무료 기본
  서비스만 사용하는경우 추가 결제는 발생되지 않으며 유료 서비스를 추가하
  는경우만 비용 청구가 발생됩니다.
- 해당 신용카드 입력 요청은 실제 해당 클라우드 서비스 사용의사를 묻고 이
  후 실제 사용자임을 인증하는 수단으로 사용됩니다. (대부분의 클라우드(마
  이크로소프트 애저) 서비스가 동일한 방식으로 사용자를 인증합니다)

- 신용카드번호 , 유효기간을 입력합니다.
- 카드소유자(영문)명을 입력합니다.
- 청구서 주소지를 회원가입시 입력주소로 할지 아니면 신규주소를 할지를 선택입력합니다.

[그림 5-17] 신용카드정보 등록

7 전화 번호를 이용한 개인실명인증을 시도합니다.

- Security Check 화면에 표기되는 캡챠 이미지를 먼저 입력하고 못알아보겠으면 하단의 Refresh Image를 클릭하고 입력합니다.
- 국가/본인 소유 전화번호를 입력 후 Call Me Now버튼을 클릭합니다.
- 버튼을 클릭하면 해당 전화로는 국제전화가 오며 동시에 화면 페이지가 바뀌며 해당화면에 표기되는 인증번호 (PIN NO) 4자리를 통화진행중 PIN번호를 눌러달라고 요청하면 해당번호4자리를 입력해줘야 실명인증이 완료됩니다.

- 전화번호는 010에 앞자리 0을 빼고 10-XXXX-XXXX 이렇게 반드시 입력해주시고 전화는 우리나라말로 전화가 걸려오니 긴장하지 마시고 전화 ARS에 요청에 응해 PIN번호를 입력해주시면됩니다.
- 시간이 지나도 전화가 오지 않으면 PINNO 화면에서 재시도 버튼이 생성되며 재시도하면 전화번호를 재입력하고(전화번호 010에서 앞자리 0을 꼭 빼세요) 다시 CallMeNow버튼을 클릭하여 전화 걸기 시도를 해 개인인증을 마무리합니다.

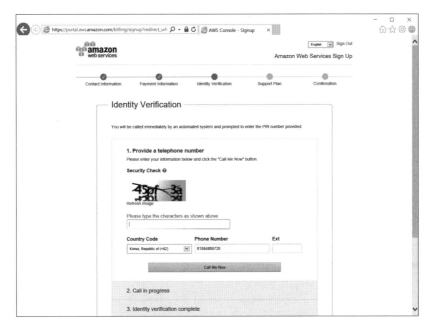

[그림 5-18] 전화번호 사용자 인증 받기

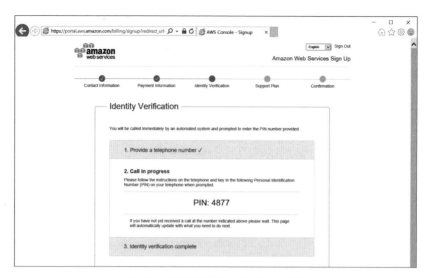

[그림 5-19] 핀번호 확인 및 핸드폰 입력하기

8 국제전화가 오면 아래 화면의 PIN번호 4자리를 통화중 전화기 키패드로 입력해 주면 개인실명인증이 완료되고 화면이 자동 전환됩니다.

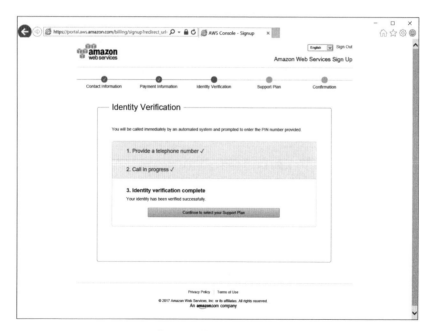

[그림 5-20] 사용자 인증 완료

9 휴대폰을 통한 개인실명 인증이 완료되었습니다.

- 버튼을 클릭하여 다음단계로 이동합니다.

10 기본(Basic) 유형을 반드시 선택(무료) 하고 다음버튼을 클릭합니다.

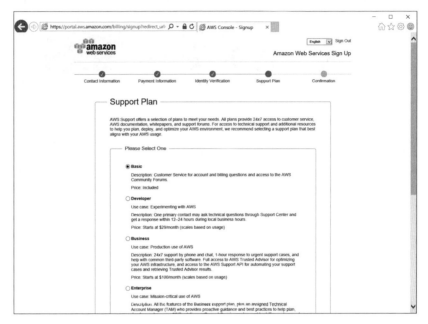

[그림 5-21] 프리티어 Basic 서비스 선택하기

11 AWS Console 메인 페이지를 확인합니다.

[그림 5-22] AWS Console 페이지

5.2 Azure PaaS 기반 서비스

웹 채팅 애플리케이션을 Visual Studio 2017 개발툴 게시 기능을 이용해 Azure 클라우드의 PaaS제품인 Azure Web App Service로 배포해서 클라우드 기반에서 애플리케이션을 서비스 해보록 하겠습니다.

5.2.1 Azure App 서비스 배포

1 WebChatSystem 애플리케이션을 메인페이지를 설정합니다.

- App_Start 폴더내의 RouteConfig.cs 파일을 오픈합니다.

- ASP.NET MVC5 애플리케이션의 초기페이지를 HomeController의 Talk 액션메소드로 지정하여 채팅사이트의 디폴트 페이지를 Talk뷰로 지정처리 합니다.

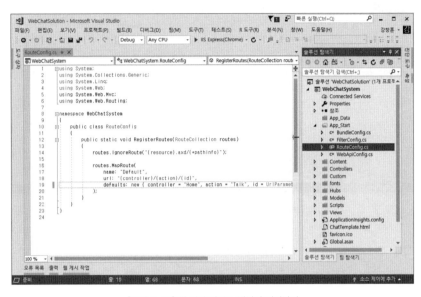

[그림 5-23] 웹 채팅 디폴트 페이지 지정하기

2 WebChatSystem에 오른쪽 마우스 클릭 > 게시 메뉴를 클릭합니다.

- 게시 대상 선택 팝업에서 App Service(PaaS)를 선택하고 새로 만들기를 선택합니다.
- 프로필 만들기 버튼을 클릭합니다.

[그림 5-24] Azure App Service 신규 게시하기

3 상단 우측의 Azure 클라우드 사용이 가능한 마이크로소프트 계정으로 로그인합
니다.

- 앱이름: 임의의 유니크한 프로젝트명이 제시되며 유니크한 이름으로 앱이
  름을 수정합니다.
- 구독: AZURE 구독유형이 표시됩니다. (종량제 또는 회원분들의 AZURE
  구독유형)
- 리소그 그룹: 새로 만들기 버튼을 클릭해 신규 리소스그룹을 생성합니다.
  기존에 만들어둔 리소스 그룹에 포함시키려면 기존 리소스 그룹을 선택합
  니다. 추후 리소스 그룹 삭제시 주의해야합니다.
- 호스팅 계획: 새로 만들기 버튼을 클릭해 배포하는 애플리케이션을 서비스
  할 데이터센터 지역(Region)과 서버 스펙을 지정합니다. 데이터 센터 지역
  은 해당 애플리케이션을 사용하는 사용자들이 거주하는 국가로 선택해주면
  네트워크 속도 향상 이점이 있습니다. 서버사양은 기본사양 또는 최소사양

을 선택합니다.

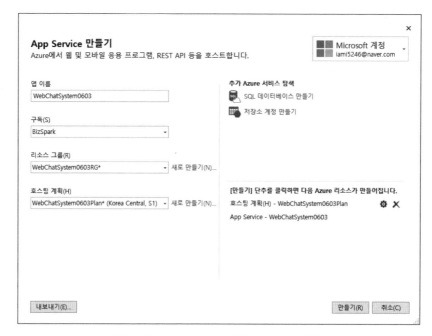

Azure App Service 신규 서비스 정보 설정하기

- 새로 추가된 앱 이름 및 호스팅 계획이 우측 하단에 목록 형태로 표기되며
  최종 표기정보를 확인 후 만들기 버튼을 클릭해 Azure Web App Service
  를 생성 설정정보를 저장합니다.

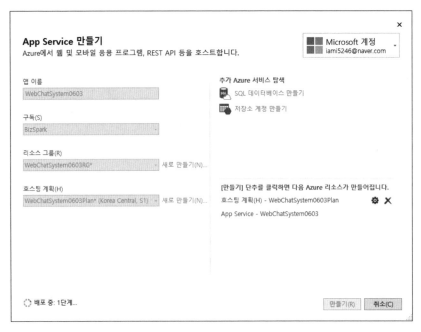

[그림 5-26] Azure App Service 신규 생성하기

4 화면 중간의 구성정보를 클릭해 Azure Web AppService 상세 게시정보를 확인합니다.

- 새 프로필: 신규 게시 프로필을 만들 때 사용합니다.
- 동작: 클릭하며 기존에 만든 게시 프로필을 삭제할 수 있습니다.
- 게시버튼: 설정된 정보로 Azure Web App Service로 개발소스를 배포하고 게시합니다.
- 사이트URL: 테스트용 애저 호스트 도메인 주소를 제공합니다.
- 클라우드 탐색기에서 관리: 설정된 AZURE 계정정보를 이용해 Azure 클라우드의 사용가능한 리소스 정보를 확할 수 있습니다.
- 구성: 게시관련 상세정보를 확인할 수 있습니다.

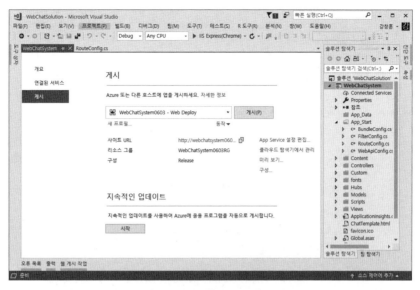

[그림 5-27] Azure App Service 게시정보 메인

5 구성정보의 유효성 검사를 클릭해 배포가 가능한지 확인합니다.

- 초록색이 나오면 정상적으로 관련정보를 통해 배포/게시가 가능합니다.
- 빨간색이 나오면 에러코드를 반환해주며 문제가 해결되지 않으면 게시가 되지 않습니다.
- 게시방법: 웹배포 – 인터넷 기반에서 배포
- 서버: 실제 서비스되는 가상서버의 주소와 배포 포트입니다.
- 사이트 이름: 가상서버의 웹 서버내 자동 구축된 웹 사이트 명입니다.
- 사용자 이름: 가상서버/웹 서버 웹 사이트에 소스를 배포할 수 있는 권한을 보유한 가상서버내시스템 사용자 계정명입니다.
- 암호: 사용자이름에게 주어지는 임의의 암호입니다.
- 대상URL: 배포 후 결과물을 확인할 수 있는 확인 및 테스트용 무료 도메인 주소입니다.
- 저장버튼을 클릭해 관련정보를 저장하거나 다음을 눌러 세부적인 게시옵션이나 애플리케이션 설정 정보를 추가합니다.

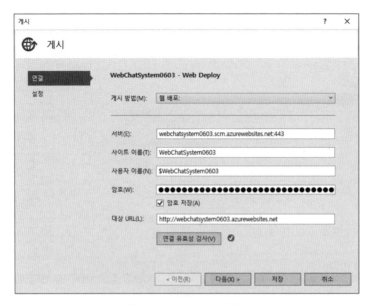

[그림 5-28] Azure App Service 게시정보 확인하기

6 게시 화면으로 게시버튼을 클릭해 개발소스를 최종 Azure Web App Service로
배포 게시합니다.

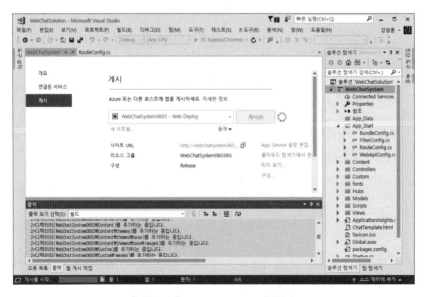

[그림 5-29] Azure App Service 게시하기

7 게시 및 배포가 완료되면 브라우저가 오픈되고 확인용 도메인주소를 이용 서비스를 바로 확인해볼수 있습니다.

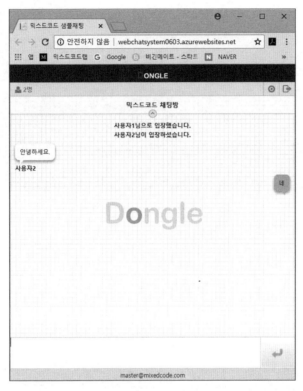

[그림 5-30] Azure App Service 배포완료 서비스 확인하기

5.2.2 Azure App 서비스 기능

1 Azure 포털 사이트에서 로그인 후 배포된 AppService 생성여부를 확인합니다.

- 좌측 App Service 메뉴를 클릭하고 생성 Web App서비스가 존재하는지 확인합니다.
- 생성된 앱이름을 클릭해 세부적인 정보확인 페이지로 이동합니다.

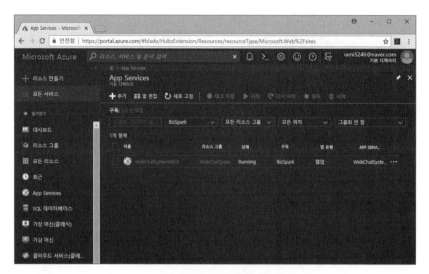

[그림 5-31] WebApp Service 목록 확인하기

2 선택 Web App Service의 개요 정보 및 제공 메뉴를 확인합니다.

- 서비스의 기본정보 및 통계정보를 확인합니다.

[그림 5-32] WebApp Service 개요

3 응용프로그램 메뉴를 통해 프레임워크 버전 및 환경설정 정보를 수정할 수 있습니다.

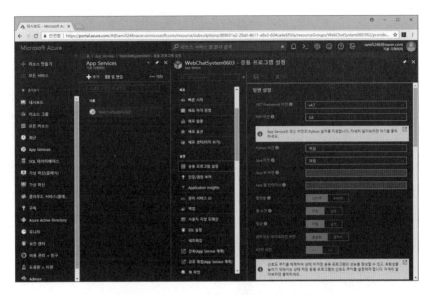

[그림 5-33] WebApp Service 응용프로그램 설정메뉴

[그림 5-34] WebApp Service 사용자 지정도메인 설정하기

4 사용자 보유 도메인을 통해 해당 애플리케이션을 서비스할 수 있습니다.

- 사용자 도메인을 사용하려면 호스트 이름추가를 클릭합니다.
- 호스트 이름에 여러분이 보유하고 있는 도메인과 호스트명을 입력합니다.
- chat.beginmate.com – 호스트명(chat).도메인명(beginmate.com)
- 레코드 종류: A레코드를 선택합니다.
- 참고로 입력 도메인의 호스트명은 도메인을 관리하는 DNS서비스에서 호스트명을 입력하고 제공되는 외부 IP주소 정보를 입력해줘야 정상적인 도메인 서비스가 이루어집니다.
- 부수적으로 도메인을 신규 구매한 경우 애저 DNS 영역 서비스를 통해 직접 애저에서 도메인의DNS 관리기능을 이용할 수 있습니다.
- 모든 서비스 메뉴에서 "DNS 영역" 으로 조회하면 도메인 관리서비스를 이용할 수 있습니다.

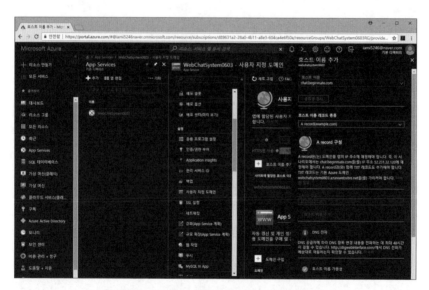

[그림 5-35] WebApp Service 도메인 A타입 설정하기

5 강화(App Service 계획) 메뉴를 이용하면 서비스 서버 스펙을 조정할 수 있습니다.

- 사용자가 증가하거나 서버 서비스 스펙 사양을 조정할 때 사용합니다.

[그림 5-36] WebApp Service 계획 변경하기

6 규모확장(App Service 계획)

- 갑작스런 사용자 트래픽 증가 또는 감소시를 대비해 사전 설정한 서비스 인스턴스 수로 오토 스케일업 스케일 다운이 가능합니다.

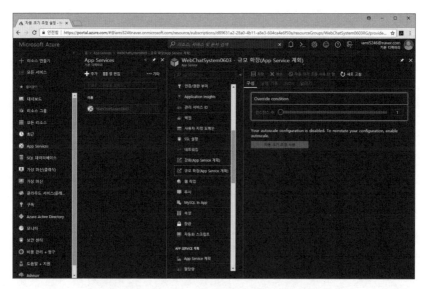

[그림 5-37] WebApp Service 오토 스케일업/다운 설정하기

7 생성된 각종 리소스들은 모든 리소스 메뉴를 통해 개별적으로 삭제가 가능하며 리소스그룹메뉴를 이용하면 해당 리소스그룹에 포함된 모든 리소스를 일괄 삭제가 가능합니다.

- 리소스 삭제 테스트를 진행해보겠습니다.
- 메뉴에서 리소스그룹을 선택합니다.

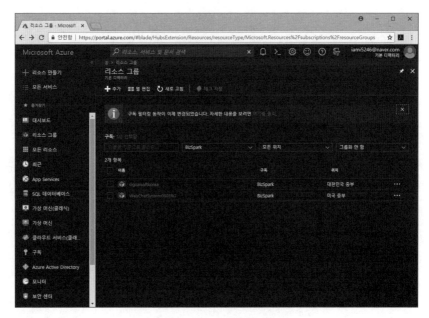

[그림 5-38] 리소스그룹 목록 확인하기

8 택 리소스 그룹내 모든 리소스를 체크합니다.

- 리소스 삭제 테스트 진행을 위해 해다 리소스 그룹내 모든 리소스를 선택합니다.
- **리소스 삭제는 서비스에 영향을 미칠수 있으므로 신중하게 판단해 처리하십시오.**
- 리소스 그룹 삭제 메뉴를 클릭해 선택 리소스를 모두 삭제 시도합니다.
- 리소스 삭제시 발생하는 모든 문제에 대한 책임은 여러분에게 있음을 다시 상기드립니다.
- 삭제된 리소스는 클라우드 사용 비용청구가 삭제시점일로부터 발생하지 않습니다.

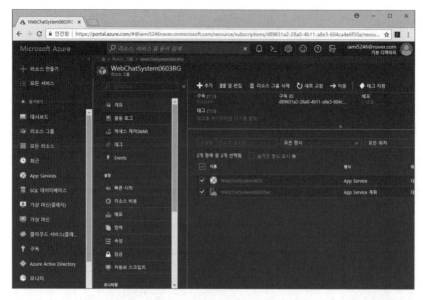

[그림 5-39] 리소스그룹 기반 삭제 리소스 선택하기

9 해당 리소스 그룹 이름을 복사 붙여넣기 또는 입력 후 삭제 버튼을 클릭하면 선택 리소스들이 모두 삭제진행되고 이후 시점부터 관련 리소스에 대한 비용이 발생하지 않습니다.

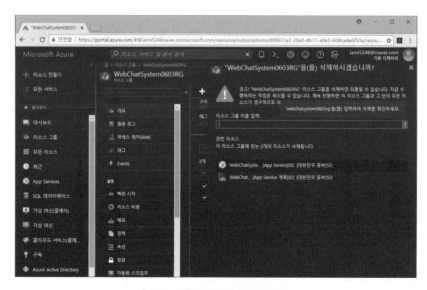

[그림 5-40] 리소스그룹 삭제처리하기

5.3 Azure IaaS 기반 서비스

5.3.1 Azure 가상머신 구축

1 Azure 포털 사이트에 접속합니다.

- Azure 클라우드 서비스를 관리할 수 있는 Azure 포털 사이트입니다.
- Azure 클라우드 서비스는 Azure 포털 사이트를 통해 각종 클라우드 서비스에 대한 서비스 신청/결제/서버/소프트웨어 관리 서비스가 제공됩니다.
  https://portal.azure.com

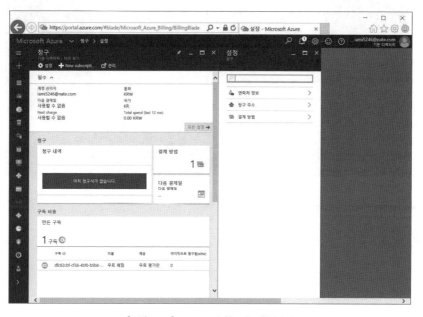

[그림 5-49] Azure 포털 청구메뉴 확인하기

2 청구 및 구독정보 확인하기

- 무료애저 평가판 등록으로 발급된 1달무료 사용 애저 구독권은 한달동안 24만원 금액으로 크레딧이 제공됩니다.

- 해당 크레딧으로 애저가상서버를 구매하거나 각종 클라우드 서비스를 구매하여 사용할 수 있습니다.
- 먼저 좌측 메뉴의 청구메뉴를 클릭하여 청구 및 구독정보가 정상인지 확인합니다.

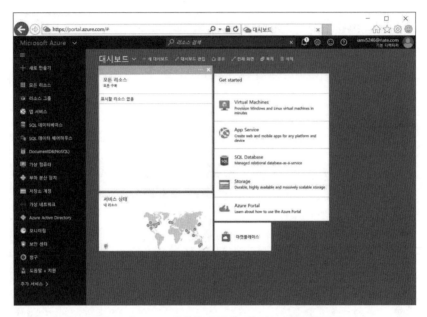

[그림 5-50] Azure 포털 현재 사용중인 모든 리소스 목록 확인하기

3 현재 사용하고 있는 리소스 확인하기

- 좌측메뉴중에 모든리소스 또는 대시보드의 모든리소스에는 내가 결제를 통해 현재 사용하고 있는 리소스를 표현합니다. 처음에는 사용리소스가 없습니다.

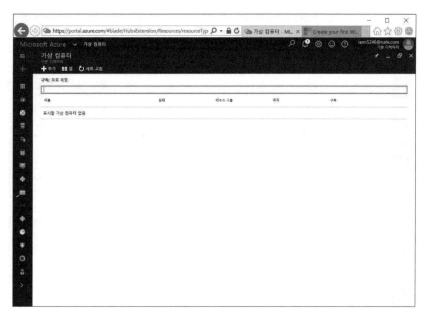

[그림 5-51] 가상컴퓨터 신규 추가하기

4 애저 가상서버 리소스 선택하기

- 우리가 개발한 ASP.NET MVC5 웹 응용프로그램 배포를 위해서는 서버가
  필요하므로 먼저 가상서버를 한 대를 신청하겠습니다.
- 가상시비는 가상회 기술을 이용해 물리적 하드웨어기반에 여러대의 가상서
  버를 구축해주는 기술로 애저의 가상서버는 어느회사 가상서버보다 안정적
  이고 사용이 편리합니다.
- 좌측 메뉴에 가상컴퓨터 메뉴를 클릭합니다.
- 상단메뉴중 추가를 클릭합니다.

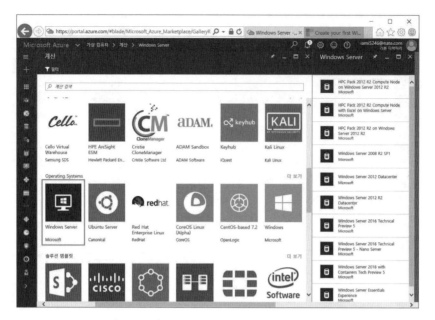

[그림 5-52] Azure 클라우드 가상 컴퓨터 서비스 목록

5 가상컴퓨터 서비스 목록을 확인합니다.

- 각종 가상컴퓨터들이 나오며 대표적인 서버로는 Windows Server, RedhatLinux, Ubuntu Server,SQLServer 등과 Windows 10 클라이언트 O/S까지 다양하게 제공합니다.
- 우리는 Windows Server를 선택하겠습니다.

[그림 5-53] Windows Server 2012 R2 DataCenter 가상서버 서비스 신청하기

6 선택 후 우측에 Windows Server O/S 버전 및 에디션 목록이 나옵니다.

- Windows Server 2012 R2 DataCenter를 선택합니다.
- 우측화면에 추가적인 정보가제공되고 만들기 버튼을 클릭하여 가상서버 리소스를 만듭니다.

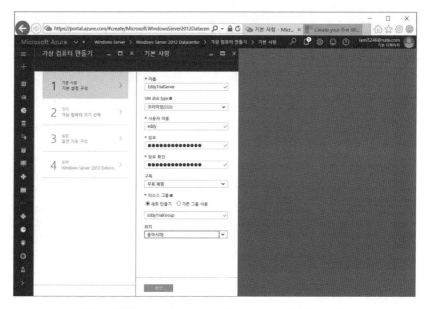

[그림 5-54] Windows Server 2012 R2 Datacenter 가상서버 생성하기

7 가상서버를 만듭니다.

- 서버명:서버의용도를 기준으로 서버명을입력합니다.
- 사용자이름: 원격 서버 로그인 윈도우 계정으로 사용됩니다.
- 암호: 원격서버 접근 윈도우계정 암호입니다.
- 구독: 결제방식을 선택합니다.
- 리소스그룹:리소스를 그룹핑할 수 있으며 그룹명을 입력합니다.
- 위치: 물리적 서버가 존재하는 클라우드 데이터센터 위치를 지정하는것으로 서비스하고자 하는 국가에 따라 네트워킹 속도에 영향을 줄수 있으므로 서비스 국가에 가까운 데이터센터를 선택해야합니다. 현재는 동아시아(중국 홍콩), 일본서부가 지리적으로 가깝습니다.
- 한국 애저 데이터 센터가 2016년 9월-10월사이 서울, 부산 두곳이 개소 예정이지만 Azure 포털에는 등록이 2017년 상반기에 가능할것으로 보입니다.

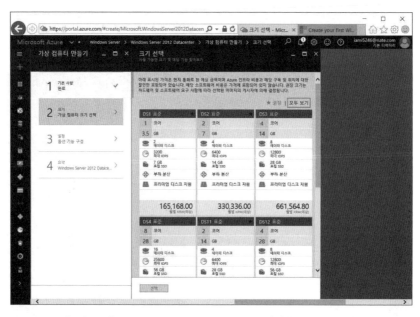

[그림 5-55] Windows Server 2012 R2 Datacenter 가상서버 스펙 선택하기

8 하드웨어 스펙을 선택합니다.

- 스펙에 따라 금액이 달라집니다.

- 모두 보기를 클릭하여 전체 스펙을 보도독 하겠습니다.

- DS1표준 월 16만 5천원짜리를 선택하고 하단에 선택버튼을 클릭합니다.

- DS1표준이 24만원내에서 사용할 수 있는 가장 저렴한 상품이네요.

- 가상서버를 만들기 시작합니다.

- 참고로 한 대의 윈도우서버에 월 8만원으로 저렴한 클래식 애저서비스도 있습니다.

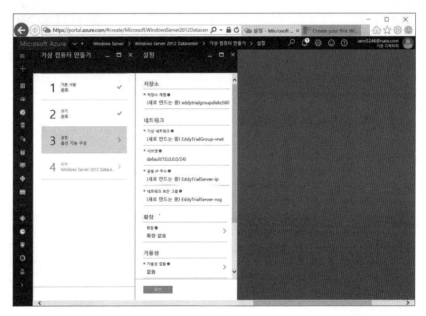

[그림 5-56] Windows Server 2012 R2 Datacenter 가상서버 서비스 인프라 생성하기

9 가상서버를 만들기 시작하고 확인을 클릭합니다.

- 10분정도내에 한 대의 가상서버가 만들어집니다.

[그림 5-57] Windows Server 2012 R2 Datacenter 가상서버 생성 유효성검사 결과 확인

🔟 가상서버 요약정보를 확인합니다.

● 확인버튼을 클릭합니다.

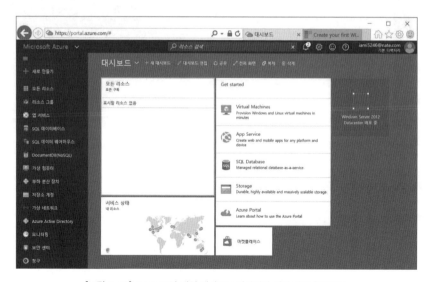

[그림 5-58] Azure 포털 메인 대시보드 가상서버 생성 작업 확인하기

11 가상서버 리소스 만들기 완료되면 메인 대시보드에 가상서버 리소스가 표시됩니다.

- 가상서버구축이 10−20분내에 완료되면 메인 대시보드에 모든리소스에 항목이 나타나고 아이콘으로 표시됩니다.
- 클릭해보면 가상서버의 기본정보 및 모니터링 정보를 확인할 수 있습니다.
- 공인아이피 주소를 확인합니다. (IP: 13.75.113.231)
- 가상서버관리를 위해 상단 메뉴중 연결을 클릭하면 원격연결 클라이언트 프로그램을 다운받을수 있습니다.
- 원격연결을 위해 다운받은 원격연결툴을 실행하고 가상서버 접근계정 및 암호를 입력합니다.

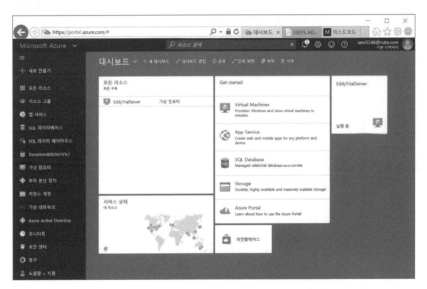

[그림 5-59] Azure 포털 메인 대시보드 가상서버 추가 확인하기

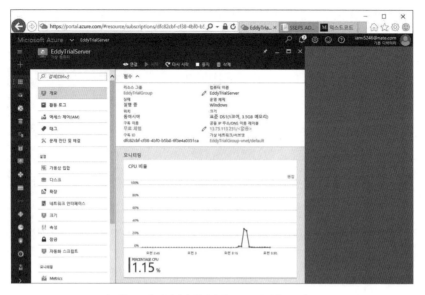

[그림 5-60] 가상서버 원격연결 프로그램 다운로드하기

12 가상서버 원격 연결 클라이언트 프로그램 다운로드하기

- 가상서버관리를 위해 상단 메뉴중 연결을 클릭하면원격연결 클라이언트 프로그램을 다운받을수 있습니다.

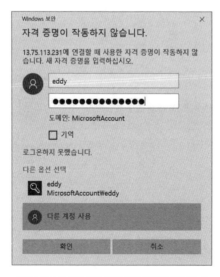

[그림 5-61] 가상서버 원격 연결 관리자 인증하기

13 원격 가상서버 연결 인증절차를 진행합니다.

- 원격연결을 위해 다운받은 원격연결툴을 실행하고 가상서버 접근계정 및 암호를 입력합니다.

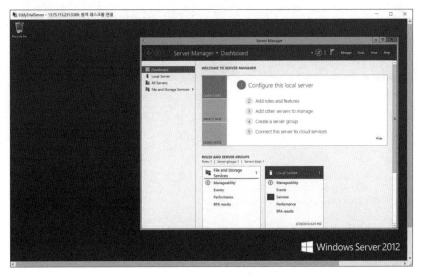

[그림 5-62] 가상서버 메인화면

14 가상서버에 원격연결 후 각종 서버 환경을 구축합니다.

- 연결이 되면 Windows Server 2012 R2 서버에 서버관리자 팝업이 오픈되어있습니다.
- 서버관리자 팝업을 통해 다음장에서 안내하는 먼저 IIS8.5 웹 서버 부터 설치를 한후 MS SQL Server2014 Express를 다운받아 서비스관련 서버 S/W 설치를 진행합니다.

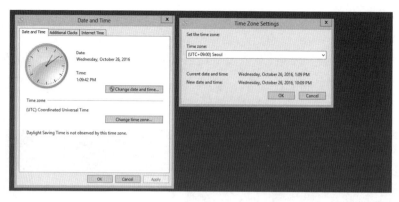

[그림 5-63] 가상서버 타임존 설정 변경하기

15 서버의 기준타임존을 서울시간으로 변경합니다

- 하단 트레이바의 날짜 및 시간을 클릭하고 팝업에서 ChangeTimeZone을 클릭하여 서울시간대로 변경합니다.

5.3.2 Microsoft Azure 네트워크 보안설정

Azure 클라우드 가상서버 구축이 완료되면 Windows Server 2012 R2 가상서버에 각종 서버용 소프트웨어를 설치하여 개발소스의 서비스 환경을 구축하는 과정을 진행합니다.

대표적으로 웹 사이트 구축을 위한 IIS8.5 웹 서버 프로그램 설치 및 DB서버로 MS SQL 2014 Express를 설치하며 메일발송을 위한 SMTP서버등 각종 서버용 프로그램을 설치하는데 설치 이후 정상적으로 외부 환경에서 가상서버내의 각종 서버 프로그램에 접속하기 위해서는 Azure 포털 사이트에서 아래와 같이 네트워크 보안설정 작업을 선행해주셔야 합니다.

1 Azure 포털 사이트를 접속합니다.

https://portal.azure.com

310

2 좌측 메뉴중 모든 리소스 메뉴를 클릭합니다.

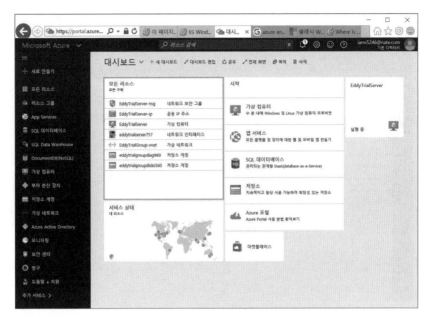

[그림 5-64] Azure 포털 메인 대시보드 리소스 확인하기

3 리소스 항목중 형식이 네트워크 보안 그룹 항목(ex: EddyTrialServer-nsg)을 클릭합니다.

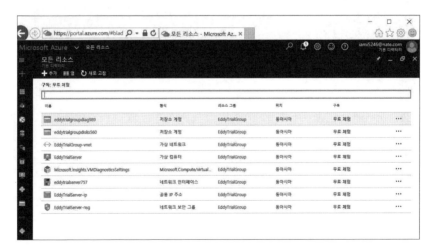

[그림 5-65] Azure 포털 모든 리소스 목록 확인하기

4 가운데 메뉴중 인바운드 보안규칙을 클릭합니다

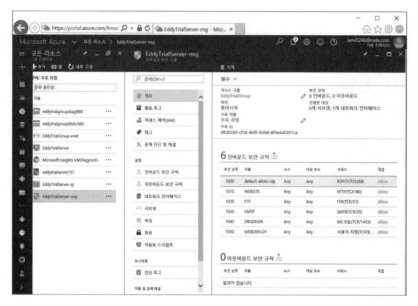

[그림 5-66] 가상서버 네트워크 보안그룹 인바운드 보안규칙 목록

5 인바운드 보안규칙 목록 상단에 추가메뉴를 클릭합니다.

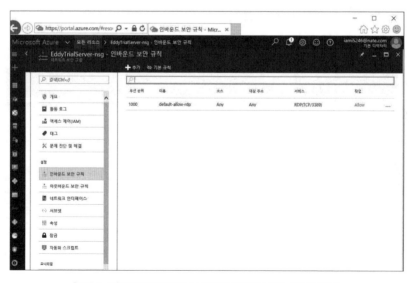

[그림 5-67] 가상서버 네트워크 보안그룹 인바운드 보안규칙 추가하기

6 웹 서버 웹 사이트 접속 포트 인바인드 설정을 추가합니다.

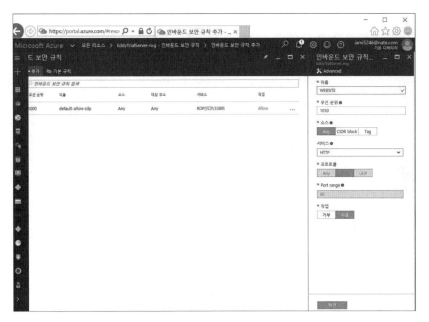

[그림 5-68] HTTP 80 포트 인바운드 보안규칙 접속 허용하기

7 FTP서버 포트에 대한 인바운드 보안규칙을 추가합니다.

[그림 5-69] FTP 21 포트 인바운드 보안규칙 접속 허용하기

8 메일발송서버(SMTP) 포트에 대한 인바운드 보안규칙을 추가합니다.

[그림 5-70] SMTP 25 포트 인바운드 보안규칙 접속 허용하기

9 MS SQL Server DB서버포트에 대한 인바운드 보안규칙을 추가합니다.

[그림 5-71] SQL DB Server 1433 포트 인바운드 보안규칙 접속 허용하기

10 개발소스의 웹 배포처리 포트에 대한 인바운드 보안규칙을 추가합니다.

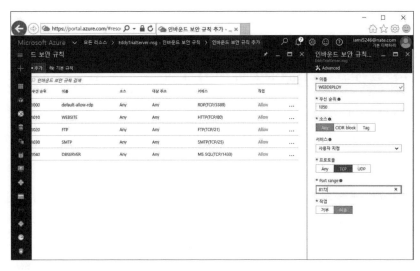

[그림 5-72] Web 배포게시 8172 포트 인바운드 보안규칙 접속 허용하기

11 등록된 인바운드 보안규칙 목록을 확인합니다.

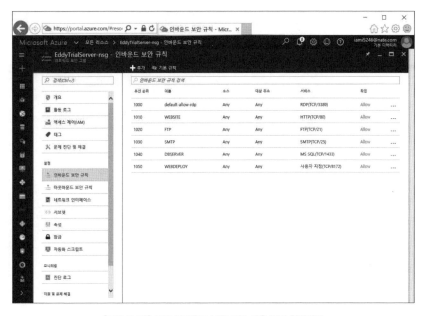

[그림 5-73] 모든 인바운드 보안 규칙 허용 목록 확인하기

상기와 같이 가상서버내 각종 서버용 프로그램들을 외부에서 접속하기 위해서는 사전에 Azure 포털 사이트에서 관련 서버용 서비스 포트가 개방되어 있어야합니다.

5.3.3 클라우드 가상서버 웹 서버 구축

Microsoft Azure 클라우드 가상서버에 서버용 IIS 웹 서버를 구축해보도록 하겠습니다. 먼저 가상서버에 원격 원결 후 하단 작업표시줄에 있는 서버 관리자를 시작합니다.

1 서버관리자 상단 우측 Manage 메뉴를 클릭한 후 하단 메뉴 Add Roles Features를 클릭합니다.

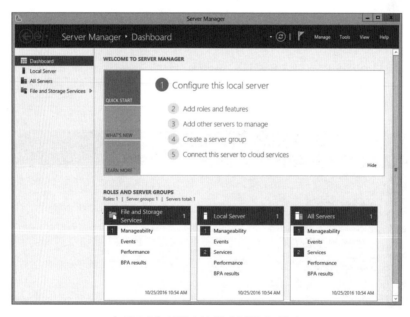

[그림 5-74] 가상서버 서버관리자 역할 추가하기

2 Next를 클릭합니다.

316

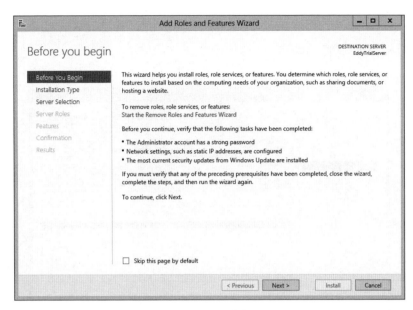

[그림 5-75] 서버관리자 마법사 초기화면

3 Role-based or feature-based installation 선택 후 Next를 클릭합니다.

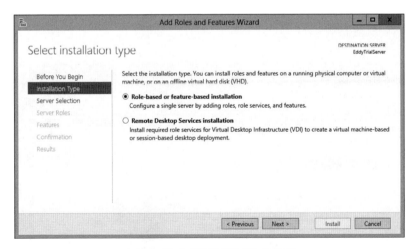

[그림 5-76] 서버관리자 설치 유형 선택하기

4 Select a server from ther server pool을 선택하고 중간 서버 Pool내용 확인
후 Next를 클릭합니다.

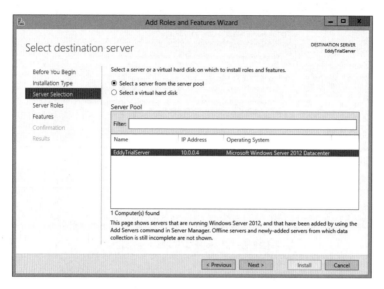

[그림 5-77] 서버관리자 프로그램 설치 가상 서버 선택하기

5 WebServer(IIS)를 체크합니다.

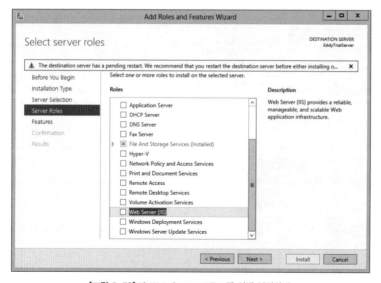

[그림 5-78] IIS Web Server 프로그램 선택 설치하기

6 Add Roles and Features Wizard 팝업창에서 Add Features 버튼을 클릭합니다.

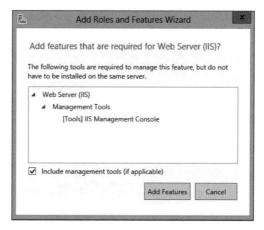

[그림 5-79] IIS Web Server 설치 추가정보 확인하기

7 WebServer(IIS)가 선택되었으면 Next버튼을 클릭합니다.

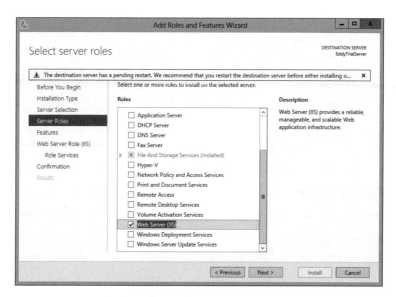

[그림 5-80] IIS Web Server 설치 선택 확인하기

8 아래 항목의 .NET Framework 체크박스와 SMTP서버를 체크 후 Next를 클릭합니다.

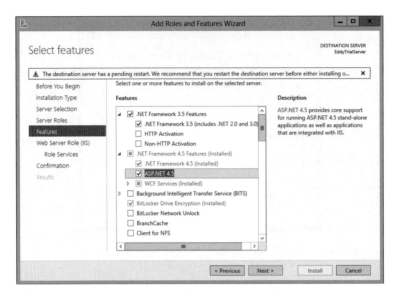

[그림 5-81] IIS Web Server 설치관련 필수 리소스 선택 추가하기

9 Next를 클릭합니다.

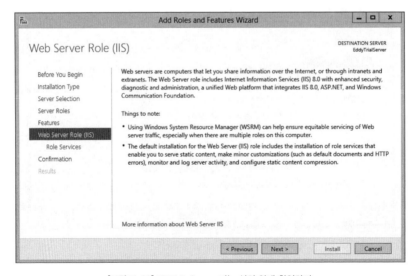

[그림 5-82] IIS Web Server 기능 설치 안내 확인하기

10 아래 체크박스 목록중에서 반드시 선택된 항목만 체크합니다.

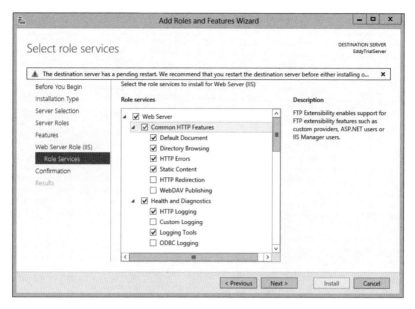

[그림 5-83] IIS Web Server 세부 항목 선택 설치하기1

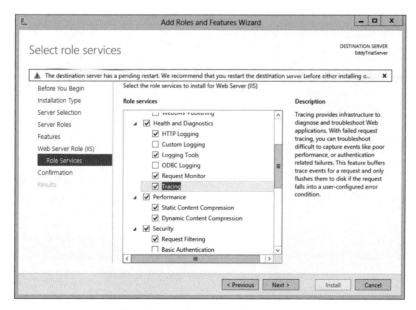

[그림 5-84] IIS Web Server 세부 항목 선택 설치하기2

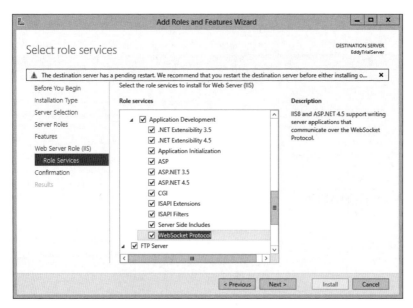

[그림 5-85] IIS Web Server 세부 항목 선택 설치하기3

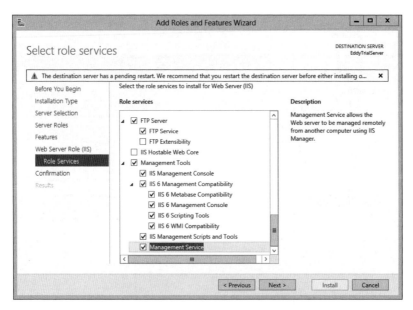

[그림 5-86] IIS Web Server 세부 항목 선택 설치하기4

- 개발 소스 자동 배포를 위해 반드시 Management Service를 체크해야합
니다.

11 설치 시 필요시 서버 재시작 옵션을 체크 후 Install 버튼을 클릭합니다.

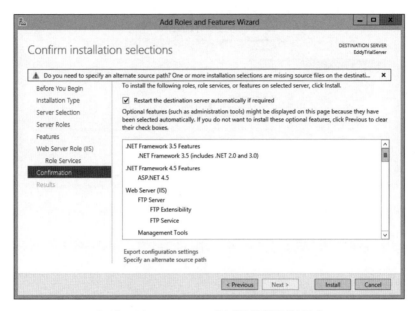

[그림 5-87] IIS Web Server 세부 설치 선택항목 확인하기

12 설치가 진행됩니다.

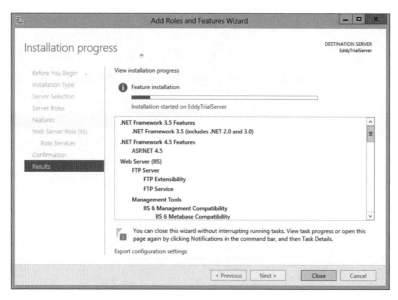

[그림 5-88] IIS Web Server 설치 선택항목 설치하기

13 설치시 문제가 있으면 오류 목록이 나타나며 정상설치시 아래와 같은 화면이 나타납니다.

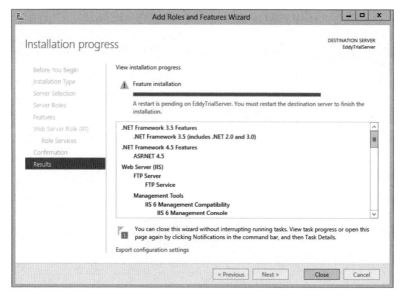

[그림 5-89] IIS Web Server 설치 완료하기

14 Windows Server에서는 Internet Exploer 웹 브라우저의 보안설정이 강화되어 있어 정상적인 브라우저 사용이 기능하려면 아래와 같이 보안강화 설정기능을 해제해야합니다.

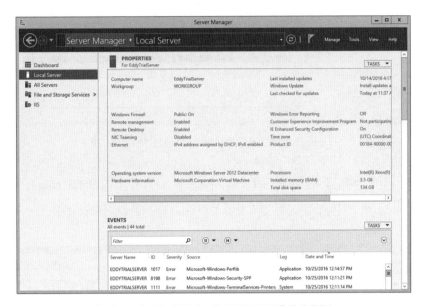

[그림 5-90] 로컬 가상서버 IE 웹 브라우저 보안옵션 해제하기

서버 관리자를 열고 좌측 Loacl Server메뉴를 클릭하고 우측 IE Enhanced Security Configuration클릭하여 팝업에서 설정을 해제하면 정상적인 웹 브라우저 사용이 가능해집니다.

15 서버관리자 상단 우측 메뉴 Tools를 클릭하고 Internet Information Service(IIS) Manager를 클릭하여 웹 서버 관리자를 시작합니다.

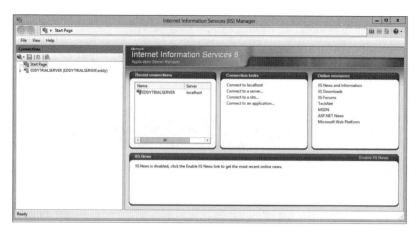

[그림 5-91] IIS웹 서버 관리자 실행하기

16 웹 서버 설치 후 웹 서버 또는 웹 사이트를 클릭하면 최신 Microsoft Web Platform 설치여부를 묻는 경고창이 뜹니다. YES버튼을 클릭합니다.

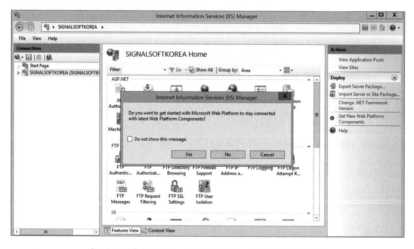

[그림 5-92] 최신 Microsoft Web Platform 5.0 설치안내 문구

17 최신 Microsoft Web Platform 5.0 설치 웹페이지가 브라우저에 오픈되면 Free Download를 클릭하여 해당 설치파일을 다운로드받아 반드시 설치합니다.

[그림 5-93] Microsoft Web Platform 5.0 설치파일 다운로드하기

⑱ Web Platform Installer 5.0 화면 상단 우측 검색박스에 "deploy" 검색어를 입력하고 엔터를 칩니다.

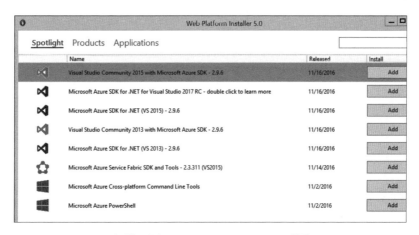

[그림 5-94] Microsoft Web Platform Installer 화면

19 검색 결과 중 Web Deploy 3.5로 시작하는 세 개 파일을 Add 한 후 하단에 Install 버튼을 클릭하여 설치를 진행합니다.

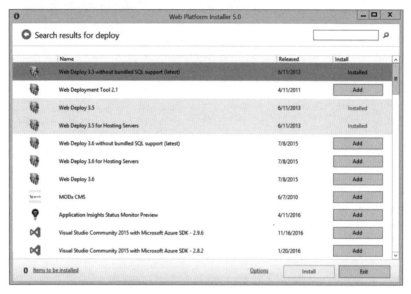

[그림 5-55] Microsoft Web Platform Installer Web Deploy 3.5 항목 추가 설치

해당 WebDeploy3.5 설치 파일들은 개발자 PC에 설치된 Visual Studio 2017 개발툴을 통해 개발소스를 Azure 가상서버에 자동 배포하기 위해 가상서버에 필요한 환경을 구축해주는 설치 파일들입니다.

20 가상서버 왼쪽 하단의 윈도우 버튼을 클릭하여 바탕화면으로 이동한 후 상단 우측에 존재하는 Power Option중 Restart를 클릭하여 반드시 가상서버를 재부팅 합니다.

21 재부팅 후 가상서버에 재연결 후 하단 메뉴 서버관리자를 시작합니다. 서버관리자 상단 우측 메뉴 Tools를 클릭하고 Internet Information Service(IIS) Manager를 클릭하여 웹 서버 관리자를 시작합니다.

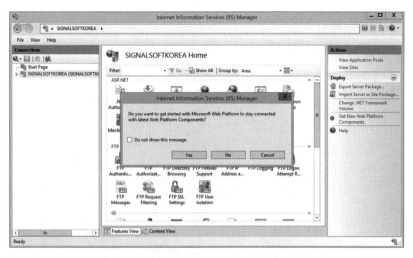

[그림 5-96] Microsoft Web Platform 설치 안내 경고창 숨기기 처리

- Microsoft Web Platform 경고창이 나타나면 Do not show.. 체크박스를 체크하고 No버튼을 클릭하여 다음부터 해당 경고창이 안나오게 설정합니다.

22 웹 서버 > Sites > Default Web Site를 클릭한 후 하단 Management 분류내 IIS Manager Permission 메뉴를 더블클릭한 후 상단 우측 메뉴중 Add User를 클릭하고 Windows Select버튼을 클릭하여 가상서버 접속시 사용한 윈도우 계정을 선택하여 추가합니다.

해당 웹 사이트에 추가된 윈도우 계정은 추후 개발 PC의 Visual Studio 2017툴을 이용해 ASP.NET MVC Web Application을 애저 가상서버 해당 웹 사이트에 자동 게시(배포)하기 위해 사용하는 접속 계정으로 사용됩니다.

23 정상적으로 웹 서버의 디폴트 웹 사이트가 외부에서 호출되는지 확인합니다.

http://가상서버공인아이피주소 ex) http://13.75.113.231/

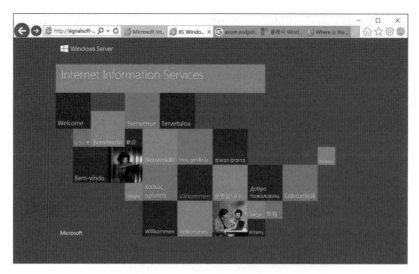

[그림 5-97] IIS 웹 서버 디폴트 웹 사이트 연결 확인하기

5.3.4 웹 채팅 가상서버에 서비스 배포

Visual Studio 2017개발툴을 이용한 클라우드 가상서버내 지정 웹 사이트로 개발소스를 자동 배포하기 위해서는 다음과 같은 환경이 가상서버 및 Azure 포털 사이트에 구성되어 있어야합니다.

- 가상서버 IIS웹 서버에 Web Platform Installer 5.0 설치
- Web Platform Installer 5.0를 통한 Web Deploy 3.5 관련파일 세 개 설치
- 해당 웹 사이트의 IIS Manager Permission메뉴에서 관련 윈도우 계정 추가 작업
- Azure 포털 사이트에서 보안 인바운드규칙으로 Port "8172" 개방허용 등록 작업

상시 설정 작업은 이미 네트워크 보안설정 및 웹 서버 구축하기 장에서 설정작업을 완료하였으며 미 설정하였다면 해당 내용을 참고하여 반드시 설정합니다.

1 개발 컴퓨터의 Visual Studio를 가동하고 웹 애플리케이션에 오른쪽 마우스 클릭 게시를 클릭합니다.

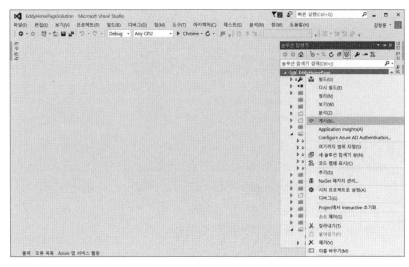

[그림 5-98] 개발PC Visual Studio 2017 ASP.NET MVC5 웹 응용프로그램 게시하기

2 추가 옵션을 클릭하고 Microsoft Azure 가상 컴퓨터를 클릭합니다.

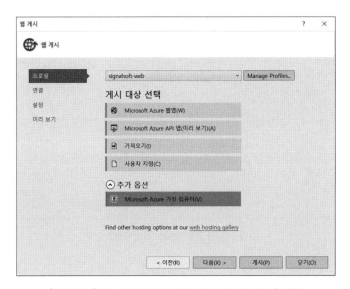

[그림 5-99] Visual Studio 2017에서 애저 가상 컴퓨터로 배포하기

3 Azure 클라우드 계정이 보유한 가상컴퓨터(웹 서버)를 선택합니다.

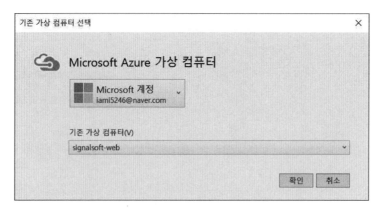

[그림 5-100] 애저 관련 마이크로소프트 계정 로그인 및 배포 가상서버 선택

4 가상서버의 연결정보를 입력합니다.

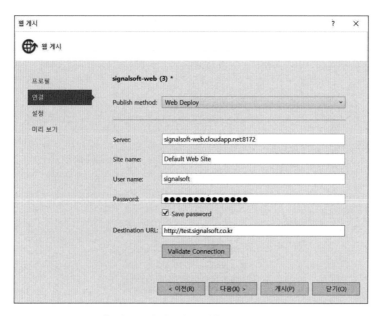

[그림 5-101] 배포 가상서버측 인증정보 입력

332

- Publish method: Web Deploy 선택합니다.

  Server: 여러분 가상서버의 애저 도메인 주소 또는 IP주소와 포트 8172를 입력합니다.

  ex)111.111.111.111:8172

- Site name: Default Web Site 가상서버 웹 서버내의 기본 웹 사이트 또는 여러분이 만들어둔 웹 사이트명을 반드시 동일하게 입력합니다.

- User name: 가상서버 접속 관리자 윈도우 계정을 입력합니다.

  Password: 관리자 윈도우 계정의 암호를 입력합니다.

- Save Password :암호 정보를 저장합니다.

- Destination URL: 게시 완료 후 웹 브라우저로 바로 확인가능한 도메인주소를 입력합니다. (옵션) ex) http://111.111.111.111

5 Validate Connection 버튼을 클릭하면 인증에러 메시지가 나타날수 있으며 Accept 버튼을 클릭하면 정상적으로 가상서버와 연결 테스트가 완료됩니다.

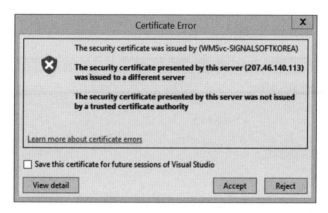

[그림 5-102] 배포 가상서버 접속 유효성 검사 보안 메시지 확인

6 정상적으로 Validate Connection이 완료되면 우측에 초록색 체크가 나타나고 실패하면 실패사유 정보를 제공합니다.

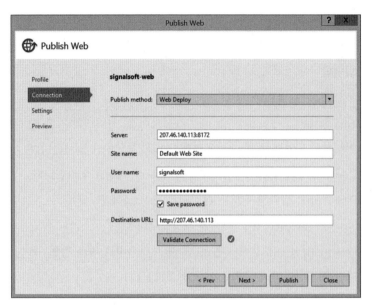

[그림 5-103] 가상서버 접속 유효성 검사 확인

7 개발소스를 릴리즈 설정 및 가상서버 DB서버 연결정보를 세팅 후 NEXT를 클릭
합니다.

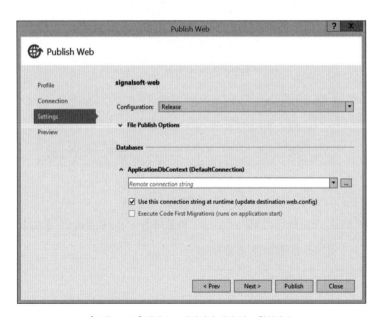

[그림 5-104] 개발소스 가상서버 게시 정보 확인하기

- 게시전 개발 웹 프로젝트의 web.config 파일내에 connectionString 섹션에 값을 가상서버 DB서버의 연결정보를 변경 후 배포해도 되며 상기 배포 시점에서 web.config정보를 생성해 배포시 변경해도 가능합니다.

8 Publish 버튼을 클릭하여 개발소스를 가상서버의 웹 사이트에 게시합니다.

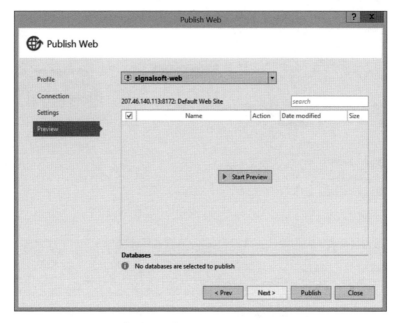

[그림 5-105] 가상서버에 게시 시작하기

- 정상적으로 게시가 완료되면 웹 브라우저로 해당 사이트가 나타납니다.

5.3.5 Microsoft SQL Server 2014 DB구축

Azure 클라우드 가상서버 O/S가 Windows Server 2012 영문버전인 관계로 SQL 서버 또한 Microsoft SQL Server 2014 Express 영문판을 다운받아 설치합니다.

1 MS SQL Server 2014 Express를 영문버전으로 반드시 다운받아 설치해야합니다.

https://www.microsoft.com/en-US/download/details.aspx?id=42299

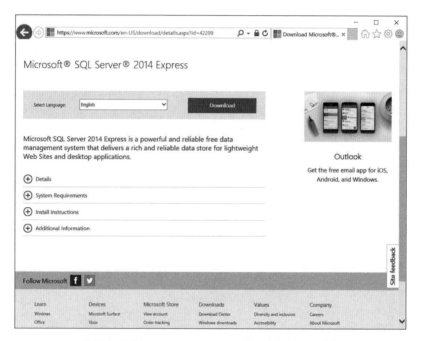

[그림 5-106] SQL Server 2014 Express영문 버전 다운로드 하기

2 설치 목록중에 아래 64bit용 ExpressAndTools 64BIT를 다운받아 설치합니다.

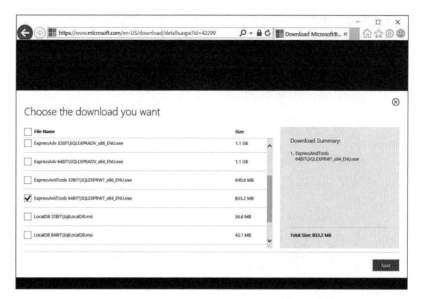

[그림 5-107] SQL Server 2014 Express영문 버전 설치파일 다운로드하기

3 다운로드 한 파일을 클릭하고 압축파일을 해제합니다.

[그림 5-108] SQL Server 2014 Express 설치파일 압푹해제하기

4 보안관련 메시지에서 Run버튼을 클릭하여 설치를 계속 진행합니다.

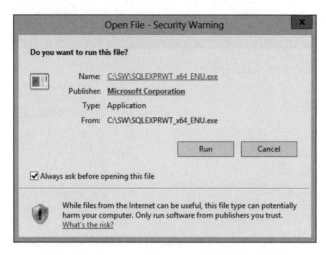

[그림 5-109] SQL Server 2014 Express 설치 보안경고 확인하기

5 다운로드 한 파일을 클릭하고 압축파일을 해제합니다.

[그림 5-110] SQL Server 2014 Express 설치파일 압축해제하기

6 설치파일에 대한 압축해제가 진행됩니다.

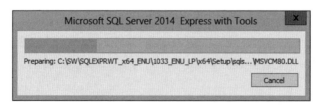

[그림 5-111] SQL Server 2014 Express 설치파일 압축해제 진행

7 New SQL Server standard–alone installation or add features to an existing installation 항목을 클릭합니다.

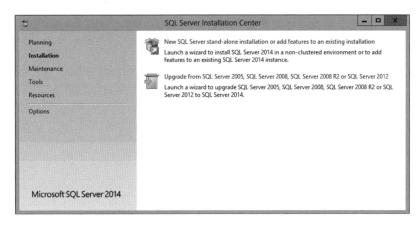

[그림 5-112] SQL Server 2014 Express 신규 설치하기

8 라이선스 동의 체크박스를 체크하고 Next 버튼을 클릭합니다.

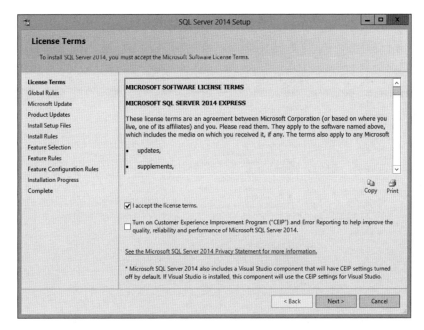

[그림 5-113] SQL Server 2014 Express 라이선스 동의하기

9 업데이트 사항이 있으면 업데이트 할 수 있도록 체크박스를 체크한후 Next 버튼을 클릭합니다.

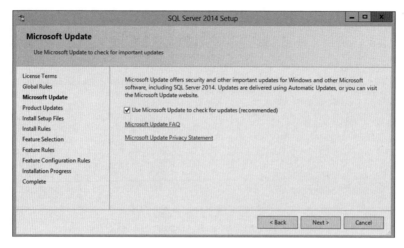

[그림 5-114] SQL Server 2014 Express 추가 업데이트 항목 자동설치 여부 체크

10 설치되는 항목을 확인 후 Next 버튼을 클릭합니다.

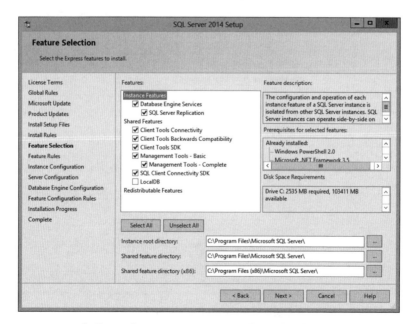

[그림 5-115] SQL Server 2014 Express 세부 설치항목 확인하기

11 Default Instance를 선택 후 Next 버튼을 클릭합니다.

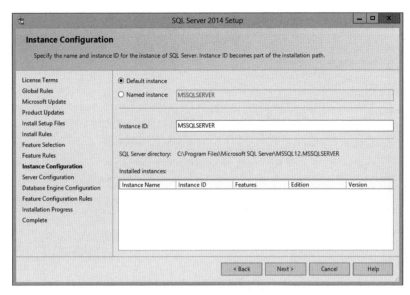

[그림 5-116] SQL Server 2014 Express Server 인스턴스 선택하기

12 SQL Server Browser항목도 Startup Type을 Automatic으로 선택한 후 Next 를 클릭합니다.

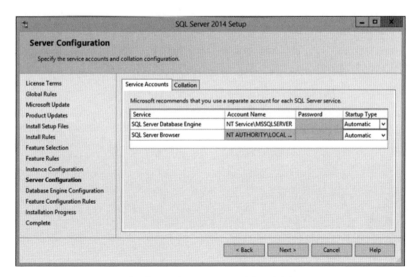

[그림 5-117] SQL Express 서버 구성하기

13 인증 모드를 MixedMode로 선택하고 SQL 인증아이디 sa의 기본암호를 입력 후 Next를 클릭합니다.

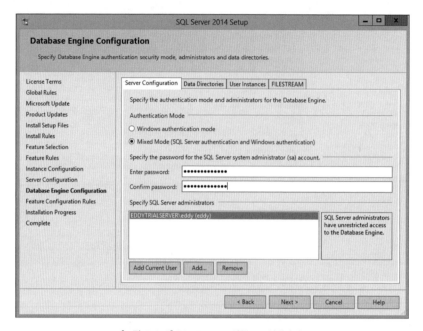

[**그림 5-118**] SQL Express 인증모드 선택하기

- SQL서버의 강력한 암호정책 적용으로 인한 특수문자 포함한 암호를 적용해 야합니다.

14 정상적으로 설치가 완료되면 아래 화면이 나타납니다.

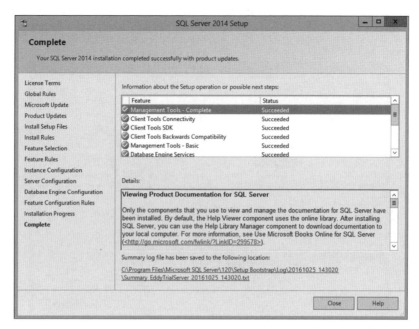

[그림 5-119] SQL Express 설치완료하기

15 모든 SQL서버 설치 팝업을 닫고 SQL Server Management Studio(SSMS)를 실행시켜봅니다.

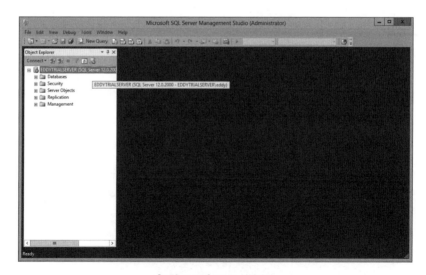

[그림 5-120] SSMS 실행하기

16 운영DB서버에서 웹 사이트 Database를 생성합니다. ex)EddyHomePage

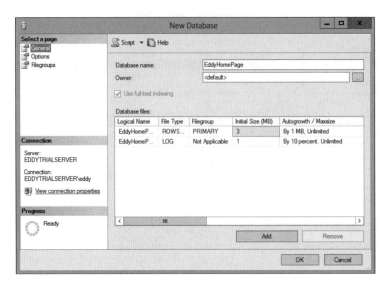

[그림 5-121] 신규 DATABASE 생성하기

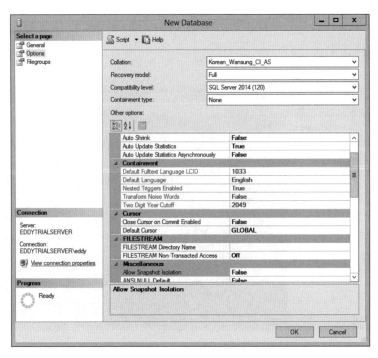

[그림 5-122] 신규 Database 한국어 지원 설정하기

● 반드시 Options탭에서 Collation항목을 Korean_Wansung_CI_AS로 Recovery Model은 Full로변경합니다.

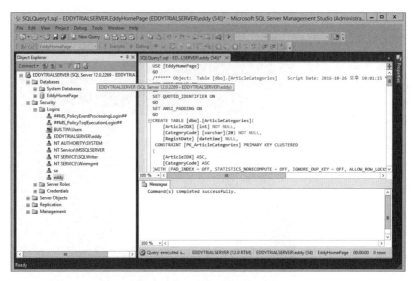

[그림 5-123] 가상서버 SQL Server SQL인증 아이디 생성하기

17 웹애플리케이션에서 사용할 SQL 인증아이디를 신규로 생성합니다. EX)eddy

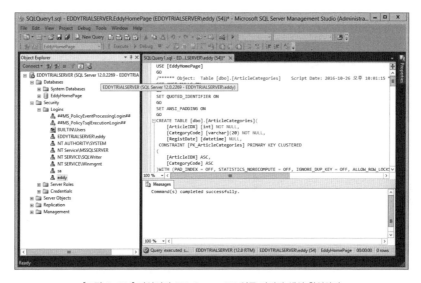

[그림 5-124] 가상서버 SQL Server SQL인증 아이디 생성 확인하기

18 개발PC의 SQL Sever에 생성한 테이블을 운영DB서버에 생성하기 위해 Table
생성 SQL 스크립트문서를 만듭니다.

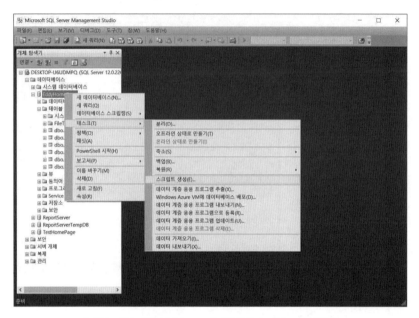

[그림 5-125] 개발서버 SQL DB 테이블 생성 스크립트 파일 만들기

- 개발용 DB서버의 데이터베이스에 오른쪽 마우스 클릭 태스크 > 스크립트
  생성을 클릭합니다.

19 다음을 클릭합니다.

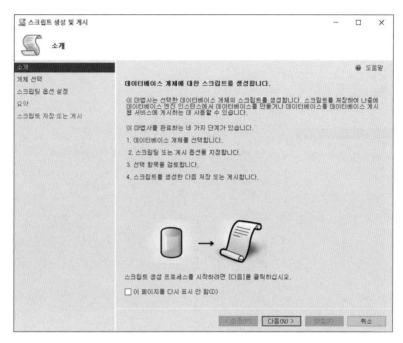

[그림 5-126] 개발서버 SQL DB 테이블 생성 스크립트 파일 만들기 마법사

20 SQL스크립트파일로 생성할 테이블을 선택 후 다음을 클릭합니다.

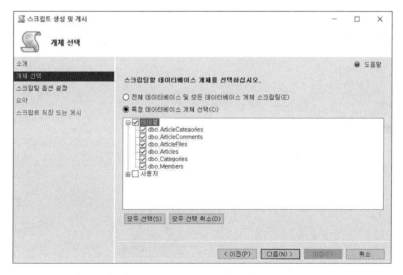

[그림 5-127] 개발서버 SQL DB 테이블 선택하여 스크립트 만들기

21 스크립트파일 저장 위치와 파일이름을 지정하고 다음을 클릭합니다.

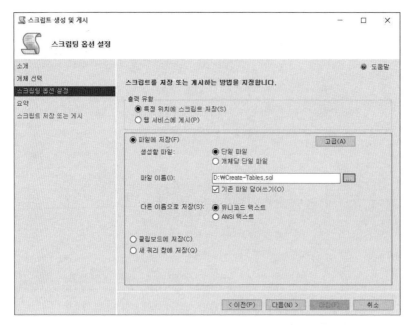

[그림 5-128] 개발서버 SQL DB 테이블 생성스크립트 파일 저장경로 지정하기

22 다음을 클릭합니다.

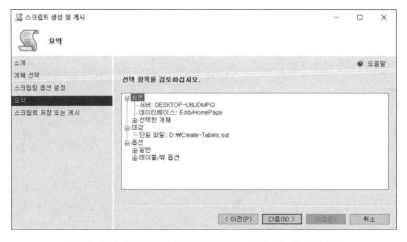

[그림 5-129] 개발서버 SQL DB 테이블 생성스크립트 파일 생성항목 검토

23 마침을 클릭합니다.

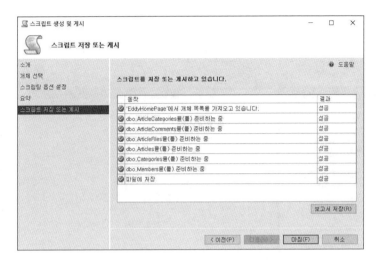

[그림 5-130] 개발서버 SQL DB 테이블 생성스크립트 파일 생성완료

24 SSMS 상단 메뉴 열기 > 파일을 클릭하여 방금 생성한 SQL스크립트파일을 오픈 하고 내용을 복사하여 원격서버의 SQL SERVER SSMS의 새쿼리창에 붙여넣습 니다.

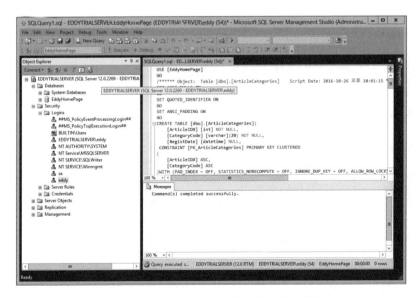

[그림 5-131] 가상서버 SQL DB 테이블 생성스크립트 실행하기

25 원격서버 MSSQL 새쿼리창에서 실행버튼을 클릭하여 스크립트를 이용 테이블을 생성합니다.

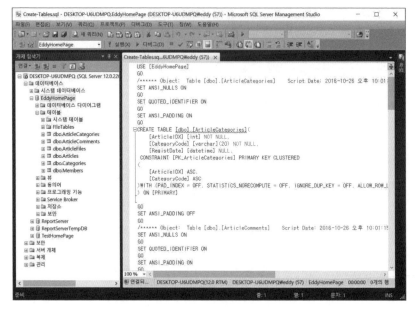

[그림 5-132] 가상서버 SQL DB 테이블 생성스크립트 실행하기

5.4 Amazon IaaS 기반 서비스

5.4.1 EC2 윈도우 서버 구축

최초 회원 가입 후 1년간 무료로 AWS 클라우드 서비스를 체험해볼수 있는 Free Tier(프리티어) 프로그램을 활용해 Windows 2012 R2 가상서버와 Ubuntu Linux 가상서버를 활용해 웹 사이트를 서비스하는 방법에 대해 알아보도록 하겠습니다.

1 AWS 회원가입이 완료되고 해당 계정으로 AWS 클라우드 관리콘솔 화면으로 이 동할 수 있습니다.

- 클라우드 관리를 위한 콘솔에 로그인 버튼을 클릭합니다.
- 가입 당시 사용한 메일주소(전화번호)와 암호를 입력하고 로그인합니다.

[그림 5-133] AWS 홈페이지

2 가입 당시 사용한 메일주소(전화번호)와 암호를 입력하고 로그인합니다.

[그림 5-134] AWS 로그인하기

3 AWS의 클라우드 서비스인 EC2 인스턴스 생성을 위해 사전에 반드시 아래 사항
을 검토해주세요.

- 해당 가상서버를 생성할 물리적 데이터센터 지정을 위해 반드시 상단 우측
  메뉴 사용자명 옆의 Service Location 위치를 변경합니다.
  (디폴트는 미국 오하이오로 되어있습니다)

- 가상서버를 이용해 제공하는 서비스 사용자가 한국사람이라면 물리적 데이
  터센터의 위치도 Asia Pacific – Seoul로 지정하면 훨씬 접속 속도가 빠르
  고 좋습니다.

- 제공 서비스의 사용자층을 사전 분석하여 주요 사용자들의 국가와 가까운
  데이터 센터를 지정함으로 서비스의 제공품질을 높일 수 있습니다.

- 가상서버 서비스 신청을 위해 화면 중간 Build a Solution의 Launch a
  Virtual machine 메뉴를 클릭해 가상서버를 신청하는 화면으로 이동합

352

니다.

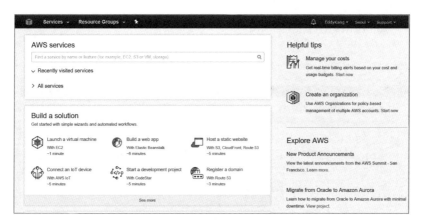

[그림 5-135] AWS 솔루션 목록

- Get Started 버튼을 클릭합니다.
- EC2는 아마존 웹 서비스에서 제공하는 클라우드 서비스명으로 마이크로
  소프트의 Azure와 같이 해당 클라우드 업체의 클라우드 대표 서비스명입
  니다.

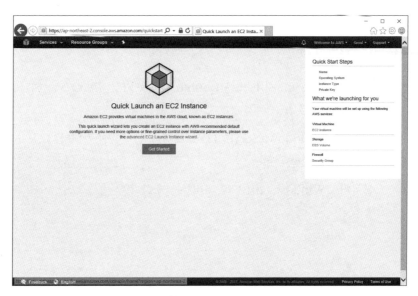

[그림 5-136] EC2 인스턴스 만들기 시작

4 AWS 클라우드 EC2 인스턴스명을 입력 후 UseThisName 버튼을 클릭합니다.

- Windows2012 R2 가상서버 신청용 인스턴스

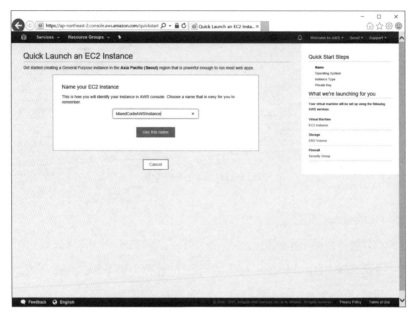

[그림 5-137] EC2 인스턴스 명 기입하기

5 해당 인스턴스에서 사용할 가상서버 O/S를 선택합니다.

- Windows 2012 R2 서버 또는 Ubuntu Linux 가상서버 O/S중 하나를 선택합니다.
  (필요에 따라 Windows Server,Linux서버를 선택하면 됩니다)
- Next버튼을 클릭합니다.
- 가상서버로 Windows 2012 R2 서버를 선택한 경우

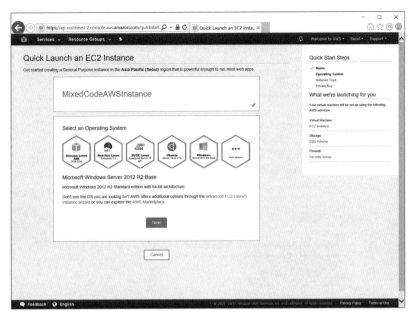

[그림 5-138] EC2 인스턴스 운영체제 선택하기

6 인스턴스 유형을 선택합니다.

- 반드시 t2.micro(무료)를 선택하셔야합니다.
- 윈도우 2012 R2가상서버의 경우기본스펙은 1CPU,Memory 1G, HDD (SDD) 10G 가 제공되며 신기하게도 해당 스펙에서도 큰 불편함 없이시비가 정상적으로 작동하고 원격접속 후 관리에 어려움이 없습니다.
  (가상화 기술이 얼마나 발전했는지 새삼스럽게 느껴질정도로 하드웨어 스펙에 비해 가상서버가 안정적으로 작동되고 운영됩니다)
- Next 버튼을 클릭합니다
- Windows 2012 R2 가상서버의 경우

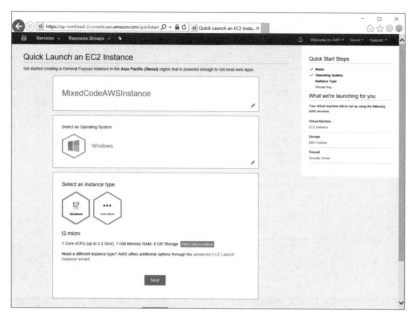

[그림 5-139] Windows 서버 인스턴스 유형 선택하기

7 해당 인스턴스명으로 생성될 가상서버에 접속하기 위한 인증정보를 담고 있는 암호화 파일을 다운로드 받습니다.

- 향후 생성될 가상서버에 접속하기 위해서는 해당 인스턴스의 인증정보를 담고 있는 암호화 파일이 반드시 필요하며 해당 파일은 아래화면에서 여러분 컴퓨터의 특정경로상에 반드시 저장하고 보관하고 있다가 향후 가상서버 접속시 필요한 암호 생성 또는 암호의 암/복호화시 해당 인증암호화 파일을 이용합니다.
- Okay, Start Download 버튼을 클릭합니다.

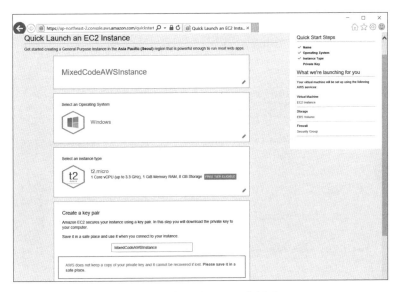

[그림 5-140] 인증용 KeyPair 생성하기

8 해당 인스턴스명의 사용자 인증정보 파일을 여러분 컴퓨터의 특정경로에 소중히
보관합니다. (저장경로와 파일의 위치를 반드시 기억하세요)

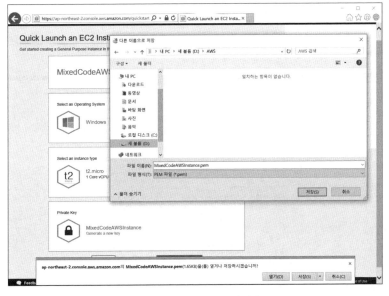

[그림 5-141] 인증정보 저장하기

9 인증서 파일을 여러분 컴퓨터에 저장한 후 화면 하단의 Create This Instance 버튼을 클릭하여 가상서버 인스턴스를 생성합니다.

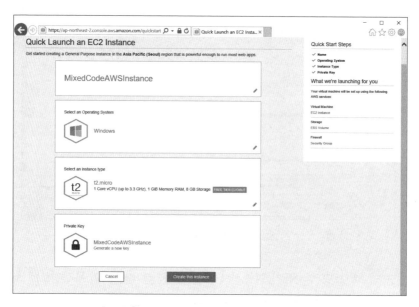

[그림 5-142] 가상서버 인스턴스 만들기

10 가상서버 인스턴스가 생성이 진행됩니다.

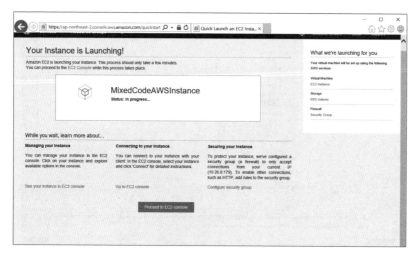

[그림 5-143] 가상서버 인스턴스 생성 진행하기

11 가상서버 인스턴스가 5분이내 생성 완료됩니다.

- Proceed to EC2 Console 버튼을 클릭하여 AWS 클라우드(EC2) 서비스 관리 콘솔 화면으로 이동합니다.

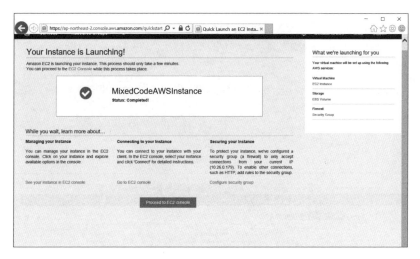

[그림 5-144] 가상서버 인스턴스 생성완료

12 AWS 클라우드(EC2) 서비스 관리 콘솔 메인화면입니다.

- 좌측 메뉴 인스턴스 메뉴의 화면입니다.
- 방금 생성한 윈도우즈 2012 R2 가상서버 인스턴스 또는 Ubuntu 리눅스 서버 인스턴스가 추가된것을 확인할 수 있습니다.
- 가상서버 접속을 위한 무료 도메인으로 제공되는 Public DNS 주소와 무료 Public IP(동적IP) 정보를 확인합니다.
- 가상서버가 만들어지면 무료 도메인 주소하나와 외부에서 접속가능한 IP주소(Public IP)가 하나씩 할당되는데 기본 할당되는 이 Public IP는 가상서버가 재부팅될때마다 새로운 IP주소가 할당되는 동적아이피를 사용하므로 인터넷 웹 사이트와 DNS서버 운영등을 위해서는 부적합한 IP사용방식입니다.

- 아마존 클라우드는 Elastic IP라는 서비스를 통해 고정 아이피 서비스를 제공하며 엘라스틱 아이피가 유료(개당 월 사용료: $ 3.97 =한화 4,500원, 매월 자동결제됩니다)로 제공됩니다.

- 매우중요: 고정아이피 서비스인 Elastic IP를 통해 안정적인 서비스를 원하면 유료 Elastic IP서비스를 신청하고 개발 과정이거나 테스트만 한다면 Elastic IP 서비스는 신청하지 않습니다.
- 유료 Elastic IP 서비스를 신청하고 사용하면 매월 4,500원 가량이 자동결제 처리됩니다.

[그림 5-145] EC2 관리콘솔 메인

⓭ 새로 생성성한 가상서버는 O/S의 종류에 따라 다양한 방식으로 원격으로 접속해 서버 관리가 가능합니다.

윈도우즈 서버의 경우 원격접속클라이언트 툴(RDP= Remote Desktop Programm)을 이용해 원격접속 및 서버관리가 바로 가능하고 리눅스 서버의 경우 SSH기반 Putty 원격제어 클라이언트 툴등으로 원격 가상서버 관리 및 제어가 가능합니다.

- 아래 설명서에서는 윈도우즈 가상서버와 우분트 리눅스 가상서버를 CASE1, Case2로 나누어 원격 연결(제어) 방법을 자세히 설명드립니다.
- 사용하는 가상서버 종류에 따라 관련내용을 참고해 가상서버 제어를 진행합니다.
- 원격 제어 방법은 아래화면 Connect버튼을 클릭하면 아래처럼 O/S별로 원격접속 및 제어 정보를 제공합니다.

■ Case 1: Windows 2012 R2 가상서버의 경우

Case 1.1: Connect 버튼을 클릭하고 Download Remote Desktop File을 클릭하여 원격접속 프로그램을 다운로드 받습니다.

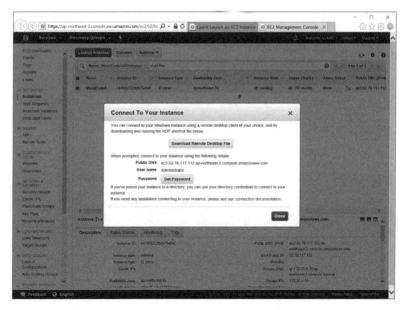

[그림 5-146] 원격 가상서버 접속프로그램 다운로드

Case 1.2: 원격 접속 윈도우 서버 접근을 위한 관리자 아이디의 (Administator) 암호를 확인합니다.

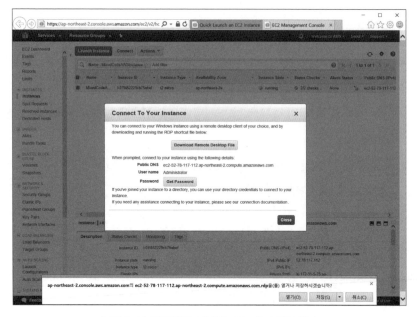

[그림 5-147] 원격컴퓨터 접속용 프로그램 다운로드받기

원격접속 프로그램을 다운받은 후 접속을 시도하면 암호를 입력해야하는데 해당암호는 아래화면 GetPassword 버튼을 클릭합니다.

- GetPassword 버튼을 클릭하면 접속암호가 암호화되어 보이게되며 해당 암호를 복호화 하려면 이전에 여러분 컴퓨터에 저장한 인스턴스 인증파일을 이용해 복호화가 가능합니다.
- KeyPare Path 찾아보기 버튼을 클릭하여 여러분 컴퓨터의 인증파일을 선택합니다.
- Decrypt Password버튼을 클릭하여 암호를 복호화합니다. 복호화하면 암호가 아래와 같이 문자로 나타납니다.
- 해당 암호를 이용 가상서버를 원격접속하면됩니다.

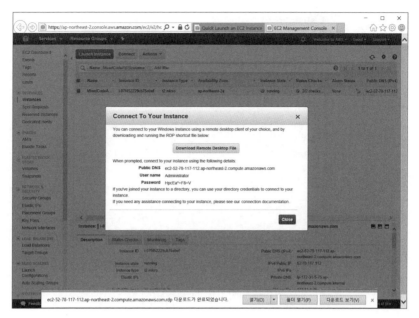

[그림 5-148] 원격접속 프로그램 접속정보 확인

Case 1.3: 위에서 다운로드받안 원격접속 프로그램을 실행시켜 가상서버 접속을 시도합니다.

- 정상 접속되면 아이디: Administrator 암호: 복호화된 암호를 입력하면 원격서버 접속이 됩니다.
- 초기 서버초기화 과정때문에 원격접속 이후 약간 5분정도의 딜레이 타임이 발생되며 정상적으로 아래처럼 Windows 2012 R2서버가 나타납니다.
- 원격연결이 실패되면 아래 27번 ~ 32번 글을 참고하여 클라우드서비스의 보안설정을 해주시기 바랍니다.

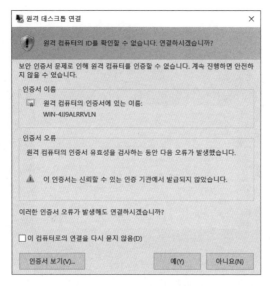

[그림 5-149] 원격 서버 접속 확인하기

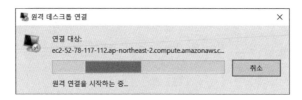

[그림 5-150] 원격 서버 접속중

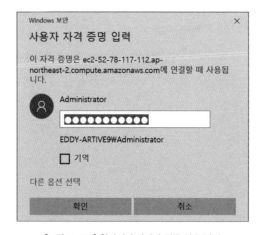

[그림 5-151] 원격서버 관리자 인증 암호 넣기

364

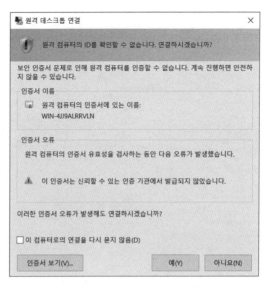

[그림 5-152] 관리자 정보 저장하기 묻기

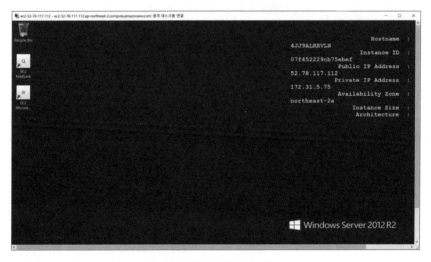

[그림 5-153] 원격서버 접속 완료

14 좌측 메뉴의 Network& Security 메뉴를 통해 외부에서의 가상서버 접속 및 가상서버 내 제공서비스의 접속을 관리할 수 있습니다.

[그림 5-154] Network& Security 메뉴

15 외부에서 해당 가상서버를 통한 공인 고정IP접속을 통해 웹 사이트, DNS등의 정
상적인 서비스를 위해서는 Elastic IP 한 개(유료-개당 월 4,500원)를 반드시 할
당해줘야합니다.

- 좌측메뉴에서 Network& Security/Elastic IPs를 클릭하고 Allocate new
  Address를 클릭합니다.
- Elastic IP는 유료 서비스입니다.
- 도메인을 통해 웹 사이트를 서비스한다면 반드시 DNS세팅시 해당 도메인
  호스트와 지금 할당한 Elastic IP주소로 맵핑을 해야하며(대표공인IP주소말
  고요) Security Group의 InBound설정시에 MY IP항목으로 특정 아이피
  등을 이용 보안설정이 가능합니다.

366

[그림 5-155] Elastic IP 할당 내역

16 Allocate 버튼을 클릭합니다.

[그림 5-156] Elastic IP 할당하기

17 Elastic IP 한개가 할당되었습니다.

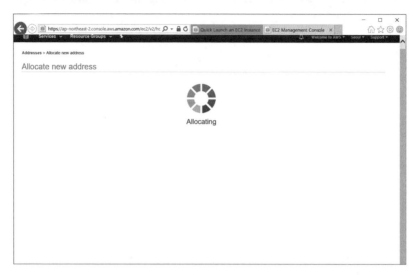

[그림 5-157] Elastic IP 할당 진행

[그림 5-158] Elastic IP 생성완료

18 좌측 메뉴 Network & Security > SecurityGroup 메뉴를 클릭하고 두 개의 Security Group을 확인합니다.

- 첫번째 빈 이름의 Security Group은 디폴트로 제공되는 기본 인스턴스의 보안그룹이며 두번째가 여러분이 생성한 인스턴스에 대한(공인아이피)에 보안그룹입니다.
- 각각의 보안그룹의 인바운드(외부에서 가상서버로의 접근) 설정에 따라 가상서버의 외부접속 및 제어 및 각종 서버를 통한 서비스(웹 사이트, FTP, Mail 등)가 가능해집니다.

[그림 5-159] SecurityGroup 확인하기

19 Elastic IP 보안그룹을 선택하고 인바운드 설정을 아래와 같이 설정 후 저장합니다.

- 원격접속 및 웹 사이트 서비스, FTP, SMTP, 서버로의 배포서비스등을 위

해서는 반드시 해당 IP 포트에 대한 설정을 해야합니다.

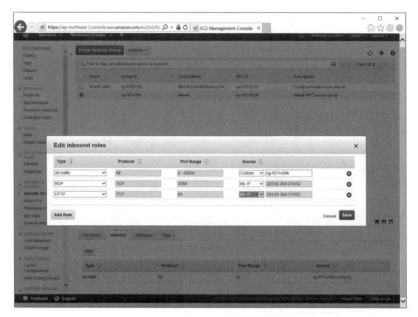

[그림 5-160] SecurityGroup 포트설정하기

20 가상서버 기본 보안그룹을 선택하고 반드시 인바운드설정의 RDP(윈도우 원격서버) 또는 SSH(리눅스원격서버) 항목의 Source를 Anywhere등으로 설정하여 외부에서 정상적인 가상서버로의 원격접속이 될 수 있게 처리합니다.

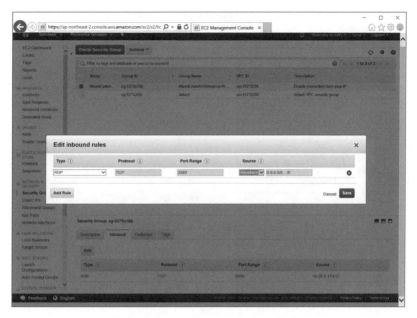

[그림 5-161] SecurityGroup 설정포트 확인하기

이상 AWS 클라우드 서비스 신청과 AWS 클라우드 서비스 중 가상서버 서비스 사용법을 간략히 알아보았습니다.

추가로 Windows 2012 R2 가상서버내 IIS 웹 서버 설치 및 SQL DB설치 그리고 Visual Studio를 이용한 가상서버 배포 관련 글은 이전장의 내용을 참고해주시기 바랍니다.

찾아보기